本質がわかる・やりたくなる

新 理科の授業

3年

佐　仁
　　敏

子どもの未来社

# はじめに　〜子どものどんな姿を目指すか〜

　「学んだことのただ１つの証は、変わることである」と林竹二氏（宮城教育大学）の著書から学び、教師になって２年目。生きいきしていない、何かとトラブルを起こす子どもたちに私は悩んでいました。そうした姿の子どもたちが「変わる」ためには「私が学び、変わらなければなりません。どのように学んだらよいのだろう…」と考えていたときに出会ったのが科学教育研究協議会のサークルでした。「しぜんのたより」という日常活動（⇨ p.43）と、学習内容を明確にした授業をとおして、子どもたちが主役の学習とは何かを学びました。そして、子どもたちの姿が変わっていったのです。

　３年生に「物の重さ」の学習があります。学習の最後に「金魚の体重をはかるためにはどうするか？」と考え合い、「金魚を水槽から取り除き、重さが軽くなった分が金魚の体重である」ことを実験しながら確認します。この学習後、子どもたちはトイレに行く前に自分の体重をはかり、減った分がトイレで出してきた分だということを「しぜんのたより」での発表で、嬉々として行っていました。「パンをトースターに入れる前と入れた後で重さが変わったから何かが出たことがわかりました。パンが固くなったから水分が出たのかな？」という発表も出ました。「重さ」を学習したことで、物を見る目が変わり、それを楽しむ子どもたちがいました。そして学年の最後に、次のような日記を書いてきた子がいました。

> 　ぼくは、しぜんのたよりで、毎日発表したいことがあります。だから毎日手を上げました。説明するのが楽しいし、発表するのも楽しいし、友だちといっしょにやるのも楽しいし見つけるのも楽しい。だからたくさんやった。しぜんのたよりで発表するためにたくさん見つけました。

　日常活動として行われる「しぜんのたより」の発表と学習をかかわらせることで、子どもたちの自然を見る目や、授業への臨み方が明らかに変わり、「知りたい、やりたい、話したい」という子どもたちが育っていったのです。

　教師が大変な状況にある。「〜すべき」ことに追われ、「〜したい」ことなどまったくと言っていいほどできません。校務に追われ、授業内容も学力テストや市販テストに規定され「これがすべき内容」として教えます。さらに準備から評価までの授業を定型化し、それが「はたらき方改革」として「そうすべき」なのだとされてきています。

　しかし私たち教師は「すべき」ことを子どもたちにさせることを目指して教師になったのでしょうか。「先生、授業楽しいよ！」子どもたちのそんな姿のためには、授業を変えていくことこそ私たちが今１番にすべきことです。

　この本にはこれまで授業について学んできたことがまとめられている。「授業を変えていこう」とする先生方にいくらかでも役に立てれば幸いです。

　　　　　　　　　　　　　　　　　　　　　　　　　　　　　　　　佐々木　仁

## CONTENTS もくじ

※ QRコードで動画・写真が見られます
動画…**動**　写真…**写**　〈掲載ページ〉 p.41, 47, 70, 71, 76, 81, 160

# 第 **1** 章

---

# 3年理科で大事にしたいこと
### 自然にはたらきかける子に

## 1．生物にはたらきかける

### （1）生物の生きている姿に目を向ける

　気温が高くなると、近くの川から子どもたちのはしゃぐ声が聞こえてくる。バシャバシャと水かけっこをする子もいれば、網を持って水生生物を追いかける子もいる。近くの草原ではごろごろと転がる子、昆虫を捕まえる子や、花飾りを作る子がいる…。

　こんな風景は、めっきり少なくなってきたようだ。都会だけでなく、自然豊かな地方でも少なくなってきているという。しかし、私たち人間も自然界の一部であり、自然にはたらきかけてそのしくみや環境の変化を、五感をとおして理解していくことは、私たち自身がどう生きればいいかを考える大切なことだと考える。

　子ども時代には、たくさん自然にはたらきかける活動を促したい。特に「知りたがり・やりたがり」の活動的な3年生であればなおさら、3年生にふさわしい学習活動を用意したい。

　その“自然”である。私たちをとりまく自然を見わたして考えてみよう。自然界にはいろいろな物（草、木、鳥、虫、水、土、石、空気など）があるが、それらを大きく分けると、生物（草、木、鳥、虫など）とそうでない無生物（水、土、石、空気など）に分けられる。この両者の大きな違いは、「生物は自らのからだをつくるのに必要な栄養素をとって成長し、子孫を残して生きている」ということである。

　3年生で動物教材として中心的に扱われる、昆虫で考えてみよう。

　花から花へとび回っているチョウは、ストローのような口を伸ばして花の蜜を吸っている。そして、種族を残すために、オスとメスが求めあい交尾をしてメスは卵を産む。卵からかえった幼虫は、葉を食べて成長する。これがチョウの「栄養素をとり」「子孫を残して」生きているということだが、自然界ではこんなに単純なものではない。

　卵からかえった幼虫のなかには、雨水におぼれて死ぬものもいる。幼虫が成長して目立つようになると、鳥に食べられるものもいれば、寄生バチにからだの中に卵を産みつけられ、その幼虫に食べられてしまうものもいる。どうにか成虫になっても、鳥やカマキリなどに食べられてしまうものもいる。だから、成虫にまで無事に成長して、産卵できるものはごく少数になってしまう。モンシロチョウの1匹のメスは、およそ

200個の卵を産むが、それは、きびしい自然の中で種族を維持するために必要な数なのである。もっとも、鳥やカマキリなどの捕食者がいなければチョウの数は膨大になる。捕食者はチョウの数をコントロールしているともいえる。

　トンボは空中を生活圏とし、ツバメほどではないが優れた飛行能力をもつ。2対のはねですばやくとんだり、空中で停止（ホバリング）したりすることもできる。広い範囲をカバーする複眼を動かしてカやチョウ、ガやハエなどをしっかり見つける。見つけると飛行能力を生かして接近し、6本のあしをかごのように組んで獲物をしっかり捕らえる。あしには多くの太い毛が生えていて、獲物を逃さない。口には鋭く大きなあごがあり、獲物をかじって食べる。

　バッタは草原を生活圏とし、じょうぶな大あごで草をかみ切って食べる。カマキリやカエルなどにねらわれると、パッと逃げるために太くて大きな後ろあしをもつ。アメンボは水面を生活圏とする。そのあしには細かい毛が密集し、水の表面張力を利用して水面を自由に動く。水面に落ちた昆虫の立てる波を感知すると近づき、前あしでしっかり押さえ、口の針をそのからだに突き刺し、消化液を出して溶かして吸い取る。

　このように、それぞれの生物の姿は、その生物の生態と生息環境にうまく適合するかたちで進化してきたのである。ところで、ここで見てきたように、自然界では、生物は「食べる、食べられる」関係で結びついている。

　「食べる、食べられる」つながりをたどってみると、例えば、「スズメ→アオムシ→キャベツ」、「ヘビ→カエル→バッタ→草」というようになる。これを食物連鎖という。もっとも実際の生物の世界ではこんなに直線的ではなく、網の目のように複雑な関係にあるため、最近の生物学の世界では「食物連鎖＝Food Chain」という言葉は役目を終えつつあり、「食物網＝Food Web」が一般的になりつつある。しかし小学校ではまだ、理解しやすい“食物連鎖”でよいだろう。

　この食物連鎖を見ると、動物が摂取する栄養素のおおもとは植物であり、植物がなければ動物は生きていけないことがわかる。では、植物はどのようにして栄養素を得ているのだろうか。動物は食べ物を見つけ、とらえて食べているが、植物にはそのようなことはできない。植物は、日光を利用し、自分で栄養素をつくって生きているのである。日光がよくあたる所のほうが、植物がよく育つのはそのためである。うす暗い森林の中には、草があまり生えていないが、それは日光がさしこまないからである。つる性の植物は、他の植物にまきついて茎を高い所に伸ばし、日光のよくあたるところに葉を広げる。茎の長い植物は短い植物より、日光を得るのに有利である。茎の短いオオバコやタンポポなどは、道ばたやグラウンドのまわりなどに生え、葉を地面に広げて生きている。まわりに他の草が生えてきて日光がとりにくくなると、オオバコやタンポポは葉を立てるようにするが、背の高い草が繁るようになると、日光がうば

われてしまい、生きていけなくなる。平穏生活のように見える植物も、日光のうばいあいをして生きているのである。

　栄養素をつくって利用し成長した植物は、やがて花を咲かせ、たくさんの種子をつくって散布する。1株のタンポポが1000個以上の種子をつくる。そのなかのいくつかが成体にまで成長するのである。

　ところで、野山を歩いてみても、生物の死体がごろごろしていることはない。これは、小動物や微生物がその死体を分解してしまうからである。生物の死体は、微生物によって分解されて無機物となり、植物に利用される。

　このような姿が、自然界における生物の世界なのである。生物は、きびしい自然の中で、生命を維持し、種族を維持する営みを続けている。こうした生物の世界を、子どもたちにとらえさせたいと思う。といっても、ここまでの理解は高学年でなければ無理であるが、低学年の子どもでも、生物の世界にふれることはできる。まわりの自然にはたらきかけさえすれば、生物の生きている姿を見ることができる。それは断片的であり、個々ばらばらなものであって、前述したような生物の世界を描きだせるものではないが、低学年ではそれでよいのである。私たちが日ごろ目にしているのは、生物個々の生きている姿である。まだ論理的思考の苦手な3年生には、低学年同様、個々の生物の具体的な生きているようすをたくさん見つけさせたい。それが、生物を豊かにとらえることになり、自然を子どもの生活にとりもどすことにもなるのである。

　自然を見つめ、はたらきかけて、生物の生きているようすを感動的にとらえさせたい。そのために教師は、いかに生物にはたらきかけたらよいか、発見したもののどれが価値のあるものなのかを学ばせる必要がある。価値判断の主な観点は、「生物は、栄養素をとって、子孫を残して、生きている」ということである。しかし、これをすぐ子どもたちに教えるのではない。発見してきた内容をこの観点に照らして考察しながら評価するのである。生物にはたらきかける方法も、子どもたちの行ったことを評価することでどうしたらよいかが子どもたちにわかるようにする。これは、子どもの活動とその内容のよい点をさがしていくやり方である。教師にほめられ、友だちに認められることは、子どものはげみになり、いっそう積極的にとりくむようになるのである。


## （2）生物にはたらきかけ、生物を知る

　子どもたちは、本来、自然に入りこんで遊ぶのが大好きである。自然は子どもたちの生活の場であるはずである。

　工場と住宅に囲まれたような小さな原っぱでも、枯れ草が地面をおおい、すみのほ

うに、オオバコ、タンポポ、ナズナなどが花を咲かせていて、小さくても子どもたちにとってすばらしい遊び場である。草原いっぱいに子どもたちは散っていき、チョウを追いかけたり、石や板をひっくり返したりする。

「この板の下にナメクジがいるよ」

「カマキリの卵があったよ」

「ナズナの花は、すごく小さいね。葉がハートに似ているよ」

「タンポポのみつはいっぱいあるんだね。チョウがタンポポにとまっていたし、アリもあまいものが好きだからタンポポにいた」…。

子どもたちは自然の中からいろいろなことを発見する。しかし、草原へ行ってもじっと立って見ている子にはこのような発見はできない。

生物観察のときに見られる"気持ち悪い"という感覚であるが、家の中でテレビを見たり、ゲームをしたりして遊ぶことが多くなり、自然の中で、集団で遊ぶことがあまり見受けられなくなってきたことも、影響しているのであろう。虫を気持ち悪がっていた女の子も、生き物を飼ってその生態を知るうちに「かわいくなった」と、手で触れるようになるというのも、サークルの仲間の実践でよく語られることである。しかしこうしたことも、せいぜい3年生くらいまでである。子どもが自分から進んで自然にはたらきかけてこそ、新しい発見ができるのである。手をだして、からだで自然をさぐることは、低学年のうちに育てたい。

ナズナの小さな花から大きな実ができた、タンポポの根は1m以上もあった、ひろってきたドングリが発芽した、カマキリの子がたくさん産まれた、など、自然にはたらきかけさえすれば、まわりの自然から学べることはたくさんある。具体的な自然は、はたらきかければ応えてくれる生きた教科書なのである。子どもたちの目を野外に向けさせると、子どもたちは自然の中から教師の驚くような発見をしてくることがある。

子どもたちに教師が教えられることもある。自分の発見が教師や友だちに認められると、子どもたちは、さらに意欲的に自然をさぐるようになる。

3年生は、自然の中から新しい発見をすることに夢中になる。まだ子どもたちの趣味が多様化しておらず、友だちの影響を受けやすいので、こうしたことが学級のブームになっていく。そして、自然の中での遊びや発見を楽しむようになり、自然が生活の場となり、学習の場となっていく。

子どもたちに、生きいきと自然の中で遊ぶ生活をとりもどしてやらなくてはならない。そのためにも、学校の学習では、教科書にとりあげられている教材だけを扱うのではなく、地域の自然の中から教材になるものをさがしだし、とりあげる必要がある。それをきっかけにして、からだで自然をさぐって学んでいく子どもたちを育てることができるのである。

自然にはたらきかける学習は、まず、目についたものをよく見てみようとするところからはじまる。そして、もっとくわしく調べよう、どうなっているのだろう、不思議だな、と思った時、自分の手をだして、さわったり、割ったりして調べるようになる。五感をとぎすませて生物にはたらきかけさせたい。

　石を持ち上げてダンゴムシを見つけ、採集しようとすると、その場所が湿っていることに気がつく。カマキリがバッタを食べているのを見つけた子は、カマキリの前あしや口の動きに注視しながらも「あっ、バリバリって食べてる」と音にも気がついた。

　ふたばの観察をしていたとき、ある男の子が葉をさわっていて、突然じっと子葉を見つめ「先生。こっちの葉っぱは山折りだけど、こっちの葉っぱは谷折りだよ」とつぶやいた。折りたたまれていた子葉が開いていく途中を見つけたのだ。その子の発見は、クラスみんなのものになったが、こうした経験はたくさんさせたい。

　人間の目はよくできていて、見る対象を鮮明にとらえてくれる。遠くのものもカメラの望遠レンズでとらえるように、近くの小さなものもまるでマクロレンズでとらえるように見せてくれるのである。それでももっと細かい部分をしっかりと見たい場合に、道具としての虫めがねが活躍する。アブラナの小さな実を観察するときなど、虫めがねやピンセット、カッターナイフなども使わせたい。


## （3）植物と小動物、飼育・栽培

　生物について知ろうとするならある程度の種類の観察が必要であり、校内での飼育・栽培に限らず、野原に出て野草や昆虫などの小動物を観察することは大切である。

　教室での授業でも飼育・栽培でも、野外観察でも教師が念頭に置いておくことは、先ほどから述べている「生物は、栄養素をとって、子孫を残して、生きている」という視点である。この視点を子どもの発見を評価する際の観点としたい。

　動物観察なら「していたこと」「食べるすがたやすんでいるところ」という視点は大切なことである。また、からだのつくりと食べ物との関係や、卵（子ども）を産むことなどの視点は重要である。植物観察では、「花から実（たね）へ」の視点は大変重要である。また「どんな場所でどのように生えていたか」を見ることは、高学年での光合成学習の大事な素地となる。

　授業では上記のような観点で、「アブラナのからだ」「生き物をそだてる」「こん虫のからだ」に取り組みたい。

　アブラナをとり上げるのは長期の観察をしないでも「根、茎、葉、花、実（たね）」を確認できるので、「花から実（たね）へ」の学習に適しているからである。「生き物をそだてる」（栽培）や野外観察とつなげて、「アブラナは〜」「トマトは〜」など個々

の事実がばらばらであってもよいので、上述の視点をもてるようにしたい。

したがって、「生き物をそだてる」（栽培）では、実（たね）の観察までしっかり育てたい。野外観察で見つけた種子をまいてみるのもよい。タンポポなら1週間くらいで発芽する。しかしカラスノエンドウは、6月にまいても、秋にならないと発芽しない。自然界の植物には休眠があるからである。

アブラナの授業では、「おしべ、めしべ」という言葉も教える。事実とつなぎ合わせて教えれば、単なる部分の名前なので3年生でも難しくはない。むしろ、言葉をクラスのみんなで共有することにより、友だちの言っていることがよくわかり、「花から実（たね）へ」の理解もしやすくなる。

「こん虫のからだ」は、単に「頭・胸・腹の3つに分かれている」などと機械的に覚えるのではなく、「頭には目や触覚、口がある」「胸には、はねやあしなどがある」など、昆虫の生き方と関連づけて昆虫のからだを見ることが大切である。

また「こん虫のからだのつくり」ばかりに力点を置くのではなく、どんなところにいて、何を食べているか、そのためにどんな口になっているかなどにも目を向けさせたい。そして昆虫の育ち方を含めた「生き物をそだてる」（飼育）や野外観察とつなげて、植物同様「モンシロチョウは～」「トノサマバッタは～」など個々の事実ばらばらにであってもよいので、上述の視点を獲得させたい。

「生き物をそだてる」（飼育）では、生き物さがしで見つけ、採集した生き物を飼って育てるのもよい。教室がミニ動物園になれば、個々の動物の変化を誰かが見つけ、クラスみんなで見ることができる。特に、自然の状態では見ることが難しい食べるようす、交尾や産卵を観察することもできる。

また、昆虫をより理解するために、昆虫でないものも扱いたい。ダンゴムシなら飼育観察も容易であろう。成長の過程に似ているところ、違うところが見つかり、よりしっかり理解ができるからである。


## （4）「しぜんのたより」の活動と授業をつなげ、生物を知る

生物の観察は、1年間四季をとおして行いたい。具体的な生物の姿が見えてくるからである。学校での教室での授業、飼育・栽培、野外観察だけでなく、これらと連携をとるかたちで「しぜんのたより」にも取り組みたい。家庭学習として「自然発見」に取り組ませ、見つけたことを印刷物の「しぜんのたより」にとり上げ、クラス全体で自然への理解を深めていく活動である。

真っ白な紙を渡しておき、なにか見つけたときに絵と文を書いて提出させる。教師は「生物は、栄養素をとって、子孫を残して、生きている」という観点に合致するも

のを選び、例えば1週間に1度など定期的に「しぜんのたより」として印刷し、子どもたちにくばる。これを読んで、子どもたちに話し合いをさせる。

話し合いはあまり時間が取れないが、1人の発見をみんなのものにし、学校で学んだこととつなげて身のまわりの自然を深く理解できる活動である。

1つだけ紹介したい。

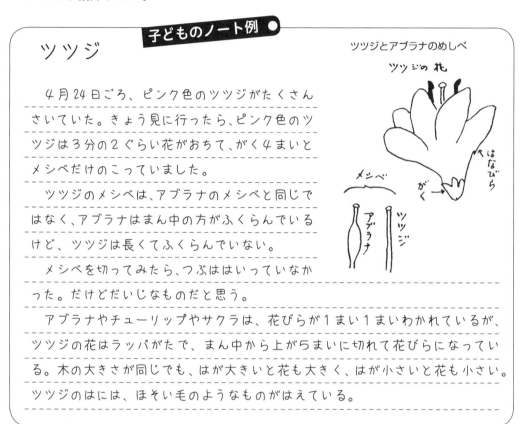

**子どものノート例 ●**

### ツツジ

4月24日ごろ、ピンク色のツツジがたくさんさいていた。きょう見に行ったら、ピンク色のツツジは3分の2ぐらい花がおちて、がく4まいとメシベだけのこっていました。

ツツジのメシベは、アブラナのメシベと同じではなく、アブラナはまん中の方がふくらんでいるけど、ツツジは長くてふくらんでいない。

メシベを切ってみたら、つぶははいっていなかった。だけどだいじなものだと思う。

アブラナやチューリップやサクラは、花びらが1まい1まいわかれているが、ツツジの花はラッパがたで、まん中から上が5まいに切れて花びらになっている。木の大きさが同じでも、はが大きいと花も大きく、はが小さいと花も小さい。ツツジのはには、ほそい毛のようなものがはえている。

ツツジとアブラナのめしべ

ツツジの花

メシベ　がく　はなびら

アブラナ　ツツジ

花のつくりと受粉

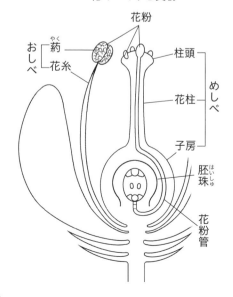

おしべ
やく（薬）
花糸
花粉
柱頭
花柱
めしべ
子房
胚珠（はいしゅ）
花粉管

ツツジのめしべをアブラナのそれと比較して調べている。アブラナのめしべにはふくらんだところ（子房（しぼう））があって、その中に小さなつぶ（胚珠（はいしゅ））がある。花が散ったあとで子房が大きくなって実になり、その中に胚珠が成長して種子ができる。このことをアブラナの学習で知った。そこで、このことからツツジのめしべにも、子房があり、胚珠はないものかと調べたのである。しかし、それは見あたらなかった。それでも、この子は、めしべを「だいじなものだ」と思った。そう思ったのでその後、ツツジを時々観察して、5月17日にめ

しべのもとに大きな玉ができているのを見つけ、11月12日には、ついに実の中に種子ができているのを見つける。これは、アブラナの学習で獲得した知識を使ってツツジの花を調べており、学校で学習したことが役立っている例である。

なお、「しぜんのたより」は地域の生物に限らず、「金属さがし」「鉄さがし」「音さがし」「氷さがし」など無生物も含む。無生物の学習でも、「しぜんのたより」の発表と授業とがうまくつながれば、学習内容が子どもたちの身にしっかりとつくようになる。

## 2．物にはたらきかける

自然界は、いろいろな物でできている。それを、大きく2つに分けると、生物と無生物になることは前述のとおりである。そこで、生物さがし・生物調べだけでなく、物さがし・物調べも扱いたい。

学習指導要領では、子どもたちにとって大変身近な音の学習が復活した。音が聞こえるときには何か物が振動して（ふるえて）いることを、工作したもので楽しく音を出しながら学ばせたい。たんけん大好き3年生に、電気や磁石、音や光など、多様な物の世界をさぐる活動をさせたい。

### （1）物をさがす、物を調べる

#### ① 太陽とかげ　方位・物の温度

物の影の動きを追っていくと、太陽が刻々と動いていて、東から南側をとおって西へ動くことをとらえることができる。そこで、ここでは、ぜひ、方位の学習として教えたい。それは、「太陽が出る方角が東で、その反対側の太陽が沈む方角が西であること、昼のころに太陽が見える方角が南で、その反対側が北であること」ということである。

3年生になると、社会科の学習で地図を使うようになる。地図を読みとるのにも方位が必要である。そこで、方位の初歩的な認識を得させておきたい。

3年生の子どもたちは、日かげのほうが日なたよりすずしく、しめっぽいことぐらいは、すでに知っている。これを、体験学習だといってやらせてみても、知的好奇心のわく学習にはならない。ここは、物の温度の学習としたい。

「物には温かさ、冷たさがあり、それは皮膚で感じることができる」ことをまずやり、しかし皮膚感覚でははっきりしないことから温度計を導入したい。そのなかで「物の温かさ、冷たさの度合いを表したものが"温度"」であることを学び取らせたい。

## ②　光集め

　物を認識するには、光が欠かせない。光なしには、物を見ることができない。理科室の暗室や、校内放送スタジオの窓にアルミホイルをすき間なく貼れば、光の少しも入らない真っ暗闇ができる。その中にある物は、自分の手でさえ見えない。小さな懐中電灯で照らすと、はじめて物が見えてくる。そんなことをぜひ取り入れたい。光の存在、光のふるまいなどにも、ふれさせておきたい。鏡を使った光あて、光を集めて物の温度を上げる、虫めがねで日光を集めるなどの学習活動である。

　虫めがねで日光を集めたときにできた小さな円は、実は太陽の形であるとは気がついていない。だから、虫めがねで教室の蛍光灯の光を集めたら「小さな円になる」と答えるだろう。「虫めがねカメラ」をつくり、風景が逆さまながらカラーでそのまま映ることも確かめたい。

　３年生では、こうした作業をとおして、しくみや原理に気づくようにしたい。

## ③　電気をとおすもの　金ぞくさがし

　無生物のなかには、共通した性質をもっている仲間がある。その１つに、金属がある。金属には、ピカピカ光る金属光沢があり、たたいたりひっぱったりすると広がったり（展性）延びたり（延性）する性質がある。そして、電気をよくとおすし、熱をよく伝える性質もある。

　３年生では、電気をよくとおすものとして「金属」という言葉も教え、豆電球テスターで、身のまわりの金属さがしをさせるようにする。わたしたちの生活では、たくさんの金属が使われていることに気づくことだろう。実際に金属にはたらきかけて、金属光沢や展性も確認させたい。

## ④　じしゃく　鉄さがし

　金属さがしの後、磁石にくっつくものは、金属の中の鉄だととらえる学習をする。そして、磁石を持って、鉄さがしをさせる。ナイフやほうちょうなどの刃物やハンマーやドライバーなどのかたい物に、鉄がよく使われていることに気づくだろう。

　そして磁石そのものを知る学習もある。両極があること、同極はしりぞけあい、異極はひきつけあうこと、磁力は物をあいだにはさんでもはたらくことなどの学習の発展として、磁石を使ったおもちゃづくりをさせたい。

　こうした学習をとおして、これまでの常識であった、金属＝鉄ということがくつがえされる。物の世界への入り口の学習といえる。

### ⑤ 音が出るとき

　音の学習は、以前は３年と５年にあった。長い間小学校から消えていたが、今回の学習指導要領改訂により３年生にだけ復活した。音は自然環境の中にも人間生活の中にもあらゆる所で体験できる、子どもたちに身近な現象である。まさに学ぶべき対象の１つといえる。

　物をたたいたり、こすったりすると音がよくでる。これは、物が振動しているからである。物が振動するのは、物には弾性があるからである。弾性は、バネを押し縮めて力をぬくと、ビョーンともとにもどる性質である。すべての物に弾性がある。

　音が出ているとき、物がふるえているのをとらえることは、物の振動ひいては弾性をとらえる手がかりになる。３年生では、こんなにむずかしいことはしないが、音を出す物を作って、音が出ているときは物がふるえていること、音は物を伝わることをとらえさせたい。

### ⑥ 物の重さ

　「物には重さと体積がある」という認識は物質を追求していく基本であるので、大切な学習だが、３年生では理解が難しい。「物の重さとは何か」「物の体積とは何か」といった本格的な学習は、物質学習が多い４年生で、その入り口に位置づけて扱いたいところではある。そこで、できるだけ４年生に近い時期の学習としたい。

　３年生では算数にも「重さ」の学習があるので、できれば算数との合科としたい。実際には算数が少人数学習となっているので難しいが、話し合って合科とできれば、時数的にも余裕ができ、しっかりとした学習が期待できる。

　学習指導要領には「物は、体積が同じでも重さは違うことがあること」という項目もある。しかし、これは密度の学習であり、重さと体積の十分な理解が前提となる。ここは事実の確認だけということで、"同体積の違う物質の重さ比べ"として軽く扱いたい。

　また、「体積とは何か」を学んでいないので、１時間目に簡単ではあるが「物のかたまりの大きさを体積という」ことは学ばせておきたい。

　小さい物にも重さがあることを確かめる学習は、「やはり物であれば重さがあるのだ」という認識につながるので、取り上げたい。

# 3．物を作る　〜手と頭を結びつける〜

## ①　風で動かそう・ゴムで動かそう

　すでに述べたように、子どもをとりまく自然は生物だけではない。木の板、紙、ゴム、金属など、物を作る材料になる物がある。これらの物を使って、物を作りだすこともだいじな学習である。なお、プラスチックも工作に便利で、教材としても有効に利用できる。しかしプラスチックごみの海洋汚染は、深刻な世界的問題となっている。少なくとも使い捨てプラスチックはなるべく使わない方向で、代用品を考えていきたい。

　ところでこの「風とゴム」の教材そのものは１、２年生にこそ適している。できれば１、２年生の学習としたいが、３年生でやるなら、動く原理を知る科学工作としたい。「よく回る風車をつくりたい」「輪ゴムを使ってより遠くまでとばしたい」という子どもたちの気持ちを引き出す学習にすれば、輪ゴムの数を増やしたり、風をよく受けるようにはねの向きを考えたりする。「輪ゴムの数を増やすとどうなるか」とか「風が強くなるとどうなるか」など条件を違えて比べるような学習にしなくても、そのようなことは“よく動く”ように工夫して工作し、あそぶなかで見つけることができる。見つけたことをクラスみんなのものにしていけばよい。

　実際、２年生の実践でのことだが、輪ゴムでっぽうで牛乳キャップとばしをしたときに、「先生、輪ゴムとわりばしをもう少しちょうだい」と取りに来て、輪ゴムの数を増やしたりしていた。

　また、よく回る２枚ばねの風車をつくったとき、ある子どもが風の強いところと弱いところで風車の回り方が違うことに気づき、「先生、これ“風の温度計”だよ」と伝えに来た。温度計の学習は３年生なので、まだ温度計の意味は知らない。風の強さの度合いを表す言葉として“温度計”という言葉を使ったのである。送風機の強弱を変えて記録する学習よりも、はるかに楽しく学べる、“生きた”経験である。

# 第 2 章

# 3年理科教科書はどんな内容か

## 3年理科教科書・各社の単元構成一覧

| 学校図書 | 教育出版 | 啓林館 | 大日本図書 | 東京書籍 |
|---|---|---|---|---|
| 01. しぜんのかんさつ | 01. 生き物を調べよう | 01. 生き物をさがそう | 01. しぜんのかんさつ | 01. 春のしぜんにとび出そう |
| 02. 植物を育てよう | 02. 植物を育てよう | 02. たねをまこう | 02. 植物の育ち方 [1] たねまき | 02. 植物を育てよう |
| ◎ たねをまこう | 03. チョウを育てよう | 03. チョウを育てよう | 03. こん虫の育ち方 | (1) たねをまこう |
| 03. かげと太陽 | 04. 風やゴムの力 | ◎ 植物の育ちとつくり | ◎ 植物の育ち方 [2] 葉・くき・根 | 03. こん虫を育てよう |
| ◎ ぐんぐんのびろ | ◎ 葉を出したあと | 04. 風とゴムの力のはたらき | 04. ゴムや風の力 | (1) チョウを育てよう |
| 04. チョウを育てよう | ・わたしの研究 | ◎ 自由研究 | 05. 音のふしぎ | ◎ 植物を育てよう |
| ◎ 花がさいた | 05. こん虫の世界 | 05. こん虫のかんさつ | ◎ 植物の育ち方 [3] 花 | (2) どれぐらい育ったかな |
| ◎ わたしの自由研究 | ◎ 花をさかせたあと | ◎ 植物の一生 | ◎ じゆうけんきゅう | ◎ こん虫を育てよう |
| 05. こん虫を調べよう | 06. 太陽と地面 | 06. かげと太陽 | 06. 動物のすみか | (2)トンボやバッタを育てよう |
| ◎ 実ができるころ | 07. 光 | 07. 光のせいしつ | 07. 植物の育ち方 [4] 花がさいた後 | 04. 風やゴムで動かそう |
| 06. 音をつたえよう | 08. 音 | 08. 電気で明かりをつけよう | 08. 地面のようすと太陽 | ◎ 植物を育てよう |
| 07. 光を調べよう | 09. ものの重さ | 09. じしゃくのふしぎ | 09. 太陽の光 | (3) 花がさいたよ |
| 08. 風のはたらき | 10. 電気の通り道 | 10. 音のせいしつ | 10. 電気の通り道 | ◎ わたしの研究 |
| 09. ゴムのはたらき | 11. じしゃく | 11. ものと重さ | 11. じしゃくのふしぎ | ◎ 植物を育てよう |
| 10.明かりをつけよう | ◎ 作って遊ぼう | ◎ おもちゃランド | 12. ものの重さ | (4) 実ができたよ |
| 11. じしゃくのひみつ | | | ◎ おもちゃショーを開こう | 05. こん虫を調べよう |
| 12. ものの重さを調べよう | | | | 06. 太陽を調べよう |
| ◎ 科学者のでん記を読もう | | | | (1) 太陽とかげを調べよう |
| | | | | 07. 太陽を調べよう |
| | | | | (2) 太陽の光を調べよう |
| | | | | 08. 音を出して調べよう |
| | | | | 09.ものの重さを比べよう |
| | | | | 10. 明かりをつけよう |
| | | | | 11. じしゃくにつけよう |
| | | | | ◎ つくってあそぼう |

以下：「学図」＝学校図書 「教出」＝教育出版 「啓林」＝啓林館
「大日本」＝大日本図書 「東書」＝東京書籍

「教科書はどれも同じ」ように感じる。学習指導要領に規定されて特色を出しにくいからだ。しかしよく見ると、前ページの表でもわかるとおり、単元の構成も違っている。執筆者が違うので当然のことだが、教材も微妙に違っている。職員室にすべての教科書をそろえておき、子どもたちや地域の実情などとも合わせてよく検討し、年間指導計画の参考にするとよいだろう。


## （1）身近な自然の観察

### ①　五感で感じよう！

「教出」では冒頭の「しぜんを見よう」というコーナーで、「じっくり見よう」「耳をすまそう　どんな音がしているかな？」「においや手ざわりで感じよう　どんなにおいがするかな？　どんな手ざわりがするかな？」「からだで感じて…」と五感を使って観察することを呼びかけている。これは大切なことである。

「啓林」でも「生きものをさがそう」という単元の冒頭で、「においをかいでみよう」「耳をすましてみよう」「さわってみよう」「よく見てみよう」と呼びかけている。「学図」では単元「しぜんのかんさつ」の冒頭で「手ざわりは？」として「葉っぱがふわふわしているよ」というイラストを載せている。また、"よく見る"ことに関しては、全社で虫めがねでの観察が掲載されている。

単に「ふたばが出ました。」「モンシロチョウがとんでいました。」という表面的な観察では生きた知識とはならない。自分の感覚を総動員して観察していくことは、今後、自然認識を獲得する土台として大切な経験となる。

### ②　絵と文で自由に記録させよう！

自然観察の場所について「大日本」では「校庭で」だけだが、ほかの4社は春の自然観察や夏の昆虫などのすみかの学習場面で、"校内や野原（学校のまわり）"での自然観察を呼びかけている。「教出」は、「こん虫のいる場所や食べ物」で、野原と林、池などの写真、そこに生息するこん虫などの小動物の写真とイラストを掲載している。野原にとび出して野草や小動物の観察に目を向けさせているのは、大事にしたい。

しかし観察カードはどの社も形式的で、生物の生きているすがたを豊かにとらえることはできないように思える。

「見つけた場所」について記入するようになっているのは、「学図」「啓林」だけである。「学図」には「○○のあたたかいところ」「○○の明るいところ」という言葉が見られるものの、基本的には「校庭」とか「公園」であり、「啓林」も「花だんの近く」「すべり台の下」となっているだけである。ある生物を見つけた場所がどんな環境になっているのか、子どもなりの具体的で生きいきした文章で書かれているわけではない。

基本的には「色・形・大きさ」に記入内容を限定している。

これは、学習指導要領が「身のまわりの生物」について、「生物は、色、形、大きさなど、姿が違うこと」を見るように規定しているからである。"色・形・大きさ"は観察の際の視点の一部ではあるが、これらが個々の生物それぞれで違っていることは、子どもたちには自明のことではないだろうか。

背の低い植物でもほかの植物が葉を広げる前に生長したり、広い場所を占有したりと、時間的、空間的に有利な生存戦略につながるものならば、まだ意味があるかもしれない。例えば「(早春に)カタクリの花が、もうさいていた」「シロツメクサの花と葉っぱだらけだった」などである。子どもたちに学ばせたいのは、どのようにして自らのからだを維持し、子孫を残していくかという学習につながる事実だろう。

３年生ではまだ、例えば「カラスノエンドウの花がさいて、枯れたら実(たね)ができた」「ホウセンカの花がさいて、枯れたら実(たね)ができた」と個別に認識することはできても、まだ「花の後には実(たね)ができる」と、一般化して認識することは難しい。だから、できるだけ多くの生物種で、動物なら「どんな場所で、どんなふうに、何をしていたか」、植物なら「どんな場所で、どんなふうに生えていたか」を観察させたい。

観察カードは項目を指定するのではなく、絵と文で自由に記入させたい。自分なりの表現で書くことで事実と言葉をつなげて理解し、自然への認識が深まっていくのである。校内事情などで、どうしても「色・形・大きさ」などの項目を入れなければならなくても、自由記述の部分を多くとるようにしたい。「学図」「啓林」「東書」が「気づいたこと」などとして、わずかではあるが自由記述欄を設けているので活用したい。

### ③ 季節や生物の変化をとらえて、１年に何回か野外観察を！

教科書の、校外における植物の自然観察に関した単元は、春だけである。学習指導要領に「生物は、その周辺の環境と関わって生きていること」とあるので、別単元として昆虫を中心とした小動物の自然観察を、どの社も載せている。しかし、そこでの植物はあくまで小動物の"環境"であって、観察対象となってはいない。

また、どの教科書も夏休みの自由研究を意識した内容を掲載しているが、通常の授業単元ではない。つまり、クラスみんなで学ぶ植物や昆虫の成長とからだのつくりなどの学習は、栽培植物と飼育動物での扱いとなっている。

これも学習指導要領の「内容の取り扱い」で、昆虫の育ち方や植物の育ち方については「飼育、栽培を通して行うこと」となっているからである。

３年生ともなれば継続観察も可能になってくる。飼育・栽培生物の観察は、野外では難しい場面も観察できるのでもちろん大切ではあるが、野外観察や「しぜんのおたより」(第１章「生物にはたらきかける」・第５章「自然のかんさつ」参照)の取り組み

も一緒に行ってこそ、学習内容が深まり、理解しやすくなるはずである。地域の、動植物の観察に適した場所を選んでおき、１年に何回かクラスや学年で同じ場所での観察をするようにしたい。

## （２）植物の育ち方

### ① 栽培植物だけでなく、身のまわりの植物も教材に！

　例えば「東書」では、「たねをまこう」「どれぐらい育ったかな」「花がさいたよ」「実ができたよ」の４つの単元に分かれて構成されている。ただ、継続観察の対象はヒマワリ、ホウセンカ、ピーマン、オクラの栽培植物に限られている。これは前述のように、学習指導要領に「飼育、栽培を通して行うこと」とあるからである。

　しかし、「どれぐらい育ったかな」には「校庭や野原などで、いろいろな植物をさがして、からだのつくりを調べてみましょう」の記述とともに、ヒメジョオン、エノコログサ、ナズナの写真や図が紹介されている。「花がさいたよ」では、「校庭や野原には」「どんな花がさいているか、さがしてみましょう」の記述とともに、ヘラオオバコ、ツユクサ、オシロイバナ、アジサイの写真が掲載されている。「実ができたよ」では、「校庭や野原で、いろいろな植物の実やたねをさがして、かんさつしてみましょう」の呼びかけとともに、コセンダングサ、ザクロ、オナモミの写真が載っている。

　これらを有効に利用して野外観察につなげて学習し、「しぜんのおたより」の報告とも連携しながら、植物とは何かを多くの事実から学び、認識していく授業をしていきたい。

### ② 繁殖器官である「花」もぜひ教えよう！

　「植物のからだのつくり」の学習は栽培植物がつぼみをつける前に行うようになっていて、「根」「くき」「葉」しかとり上げていない。これも、学習指導要領に「植物の育ち方には一定の順序があり、そのからだは根、茎及び葉からできていること」と書かれているからである。しかし花は子どもたちにとっては目立つところであるし、植物にとっては繁殖器官としてとてもだいじな観察ポイントである。

　根とくきと葉だけなら、ナズナのハート型のものは何にいれればいいのだろうか。花があるからこそ実ができるのであり、３つに絞るのは子どもたちを迷わせることになる。

　それでも、「学図」にはヒルガオ、ハルジオン、エノコログサ、ナズナの絵があり、前者２種は３年生にもすぐに花とわかる部分も描かれている。「教出」は花のついたナズナ、ハルジオンが載っていて、ナズナも拡大された花の部分が示されており、確認できる。「啓林」も、エノコログサ、タンポポが載っている。「東書」は花を確認しづ

らいが、エノコログサ、ナズナが載っている。これらを活用し、ぜひ花も授業で取り上げたい。

どの社も花の時期には絵や写真とともに「花」という言葉を載せてはいるが、「植物のからだのつくり」に花がないのはおかしい。また、「実（たね）」もその後出てくるし、植物の生長をたねから枯れるまでの写真や絵を載せてはいる。継続観察のまとめとして大事ではあるが、どの社も「花のあと実ができます。その中には多くのたねが入っています」などの記述があるだけで、花〔子房〕が実（たね）になったとは、書かれていない。ただ「啓林」には、「ダイズの育ち」で「花がさいていたところに実ができ、中にはたねが入っています」と、「花→実（たね）」の視点につながる記述が見られる。

## （３）こん虫の育ち方

### ①　飼育動物だけでなく、身のまわりの動物も教材に！

「東書」では、「チョウを育てよう」「トンボやバッタを育てよう」「こん虫を調べよう」の３つの単元に分かれて構成されている。

登場する昆虫は、モンシロチョウ、アゲハ、ツマグロヒョウモン、シオカラトンボ、ショウリョウバッタ、アブラゼミ、カブトムシ、ノコギリクワガタ、アオスジアゲハ、アキアカネなど、昆虫ではないものとしてダンゴムシ、クモである。

このほかにも子どもたちの目につく昆虫としてアリやハチ、テントウムシなど数多くあるが、自然観察や「しぜんのたより」への発表などから、どんな小動物が、どこで、どんなふうに、何をしていたかの事実をクラスみんなのものにし、動物の理解につなげていきたい。

「こん虫の育ち方」については、モンシロチョウ・アゲハで完全変態をするものを扱い、トンボ・バッタ・セミで不完全変態をするものを扱っている。昆虫をより理解するために、昆虫でないものも扱いたい。ダンゴムシなら飼育観察も容易であろう。

ところで「大日本」には、"完全へんたい""不完全へんたい"の言葉も登場させている。しかし、３年生の子どもたちにとっては、何が完全なのか理解しにくい。それよりも、幼虫のからだが成虫とまったく違う昆虫にはさなぎの段階があり、幼虫のからだが成虫と似ている昆虫にはさなぎの段階がないと理解した方が納得できるだろう。

### ②　「頭・胸・腹」だけでなく、生態の理解につながる学習を！

「こん虫のからだのつくり」は、学習指導要領に「昆虫の育ち方には一定の順序があること。また、成虫のからだは頭、胸及び腹からできていること」と規定されているので、どの社も「頭、むね、はらからできている」を強調した記述となっている。し

かし、それだけでは言葉を覚えるだけで終わってしまう。

　同じような節がたくさん連なった生物から、いくつかの節がまとまり、それぞれ役割を持って活動するように進化してきたのが昆虫だとされている。感覚器官と口がある頭部、運動器官がある胸部、消化器官や繁殖器官のある腹部、やがてはそんな認識を獲得するための事実を確認したい。

　小動物がどんなところにいて、どんなものを食べているかを観察するページがどの社にもある。「教出」では、野原・林・池などにいる昆虫などの小動物と食べ物との関係がわかる写真と解説、「しりょう」として「チョウのよう虫がいる場所と食べ物」というコラムも用意されている。

　こうしたところを手がかりに、野外や飼育環境で、「どんな場所で、からだのどの部分をどんなふうに動かして、何をしているか」をよく観察し、昆虫の生態に迫らせたい。そのことが、「頭、むね、はら」の言葉だけではない、意味をもった理解につながるだろう。


## （4）太陽とかげ

### ①　「太陽とかげ」は「方位」の学習に！

　「学図」「啓林」「大日本」「東書」が単元の導入で、かげふみやかげつなぎ（みんなのかげをつなげると一直線になる）を取り上げているのは、「かげは太陽（光）と反対の方に、どれも同じ向きにできる」という認識につながる経験となるだろう。

　どの教科書にも太陽の１日の動きについて、朝から夕方にかけての写真が載っているが、「大日本」「教出」のように時刻記入してほしい。少なくとも、朝・正午・夕方がわかる記述がほしい。「太陽高度が１番高い（南中）のが正午で、そこから南という方位がわかる」という説明もあってもよいだろう。時報は兵庫県明石市の南中時刻を基準とするが、全国の時報とのずれはわずかであり、樹木や鉄棒、子どもたちのかげの向きをラインカーで引く程度では、無視できる範囲である。

　方位については方位磁針で調べるようになっている。方位磁針を使えるようになることも大事だが、まずは太陽の動きに対応して方位を学ばせたい。南中の太陽を背にして自分の影の方を向くと、北を向いていることになる。つまり影は北方向に伸びている。右手側が東、左手側が西ということになる。このことを理解しておけば、社会科の地域巡りでの地図づくりにも役立てることができる。だから、この単元はできれば１学期にやりたい。「学図」でも３番目の単元として位置づけられている。

### ②　「太陽と地面のあたたかさ」は「温度」の学習に！

　学習指導要領に「地面は太陽によって暖められ、日なたと日かげでは地面の暖かさ

や湿り気に違いがあること」とあるので、どの教科書も、日なたと日かげの地面に手を当て、あたたかさや湿り具合の違い比べをさせて、理由を考えさせている。

そしてその後に温度計を導入しているが、子どもたちは日かげの方がひんやりしているくらいはすでに知っている。したがって、単に温度計の使い方に終始する学習となってしまい、知的好奇心をもたせられない。

ここは「温度」の学習として、「温度とは、物の温かさ、冷たさの度合いを表したものである」ということを学ばせたい。

## （５）光の性質

### ① 「光がなければものが見えない」も扱おう！

どの教科書も、日光そのものを前提に反射と屈折の初歩的な学習を行っているが、「光がなければものが見えない」ということは、お話のコラムにも出ていない。大前提のことなので、単元の最初に暗室体験はぜひさせたい。

### ② 光を集めると「明るく熱くなる」だけでなく「景色も写せる」も！

各社とも、各自が持った鏡での「まと当て」を扱っており、これは光の反射を実感することができる。また学習指導要領に出ていることもあるが、まと当てに絡めて光の直進性を確認し、「学図」「啓林」では「光のリレー」につなげている。光の直進性は大事な事実である。

虫めがねで日光を集める実験では、各社とも虫めがねを動かして濃い色の紙に日光を集める実験の後、まとめで「日光が当たったところは、明るく、あたたかく（あつく）なります」としている。

「明るくなる」のは見てわかるにしても、「あたたかく（あつく）」なることの検証方法は？と思うが、注意書きや吹き出しの部分などに「こげる」「けむりが出て」という言葉があるので、実験結果とつなげて利用したい。

なお「啓林」には発展のコラムとして、「虫めがねで集めた日光の進み方」が掲載されている。ガラスビンの中の黒い紙に、外から虫めがねで集めた日光を当てると紙から煙が出てくる。その煙に虫めがねで集めた日光が当たり、日光の進み方を見ることができる、というものだ。"日光を集める"といってもピンとこない子も、これなら見てわかる。

"日光を集める"といえば、多くの教科書でオリンピックのときのアテネでの採火式やソーラークッカーの写真が掲載されている。実際に学習したことが利用されている事実は、子どもたちの学習にも効果的だろう。

ただ、以前の「教出」には「しりょう」として「金魚ばちで火事!?」というコラム

が載せられていた。窓際に置いた金魚鉢を日光が屈折して通過し、新聞の１点に集まって煙が出ている絵と解説があった。"日光を集める"ことによる恩恵を知るとともに、学習したことで事故を回避する視点ももたせたい。

## （6）風とゴム　動く原理のわかる学習に！

　これは、本来は低学年で取り組む学習である。しかも、どの教科書も大なり小なり「風を受けたときの動き方」として、送風機の風の強さによって動いた距離がどうなったか表にまとめるような学習になっている。ゴムの方も同様で、ゴムの伸ばし方を変えたときのおもちゃの動きの結果を表にまとめる単元となっている。

　「よく動くものをつくろう」というかたちでおもちゃづくりをし、遊ぶなかで工夫し、友だちと学び合いながら動く原理を探るのではなく、"実験道具づくり"になっている。

　３年生の子どもたちの成長段階を考えたとき、ここはより遠くへ走る（とばせる）おもちゃづくりとして、子どもたちに工夫をうながす展開にしていきたい。風の強弱やゴムの引っ張りの強弱によるおもちゃの動きは、工夫をしながらつくっていくなかで、"動く原理"として、子どもたちのものになっていくはずである。

　ところでゴムについては、どの教科書も"伸ばす長さ"を変えるだけである。「もっと遠くへ」となれば、子どもたちは輪ゴムの本数を増やすということも考えるはずであるし、なかには太さを変えてみることを考える子もいるかもしれない。このあたりも、実験結果が出やすい方法ということになったのかもしれない。

　なお「啓林」には、「べつのほうほう」として、「わゴムの本数をふやしたり、わゴムをねじったりして、車が動いたきょりを調べてもよい」という記述が見られる。また「大日本」には「深めよう」で、子どもの吹き出しに「わゴムの太さを太くしてみたいな」「わゴムを２本にしてみるとどうなるのかな」との言葉がある。ただし２社とも、流れの中心的な部分は"伸ばす長さ"である。

　「大日本」以外は、実験に入る前にゴムを伸ばして（「啓林」は、ねじりも）、輪ゴムの引っ張りを体感させたりしているが、これはおもちゃづくりのイメージ、動く原理につながるので、よい。

## （7）電気の通り道

### ①　「回路」

　どの教科書も電気学習の後に磁石の学習を組んでいる。単元の配列としては、子ど

もの思考の流れに合致している。

　小学校段階において、「電気をとおす物」といえば「金属」であり、「磁石につく物」といえば「鉄」（コバルトやニッケルも磁石に引き付けられるが、身近ではない）である。「金属の中の鉄だけが磁石につく」という理解に至る子どもたちの思考の流れを考えるならば、とうぜん「電気」→「磁石」という配列が自然であろう。また、「電気をとおした金ぞくは、みんな磁石につくのではないか」と考える子が多いが、その考えと違う結果を突きつけられることによって、「鉄だけが磁石につく」という理解がより確かなものになるであろう。

　どの教科書も、豆電球と乾電池、導線つきソケットを使って実験させ、「明かりがつくつなぎ方」「明かりがつかないつなぎ方」に分ける話し合いを行っている。そして例えば「学図」では、「豆電球に明かりがつくとき、電気がとおります。電気の通り道は１つのわのようにつながっています」「電気の通り道のことを、回路といいます」「とちゅうで回路がとぎれていると、明かりはつきません」とまとめている。この“わ＝回路になっている”ことは、図や実物をなぞったりしながらでも、しっかり確認したい。

　また、すべての教科書に豆電球内部の構造の図を示しているが、これは回路の理解につながる。「学図」にはその後に「やってみよう」として、「ソケットを使わずにかん電池と、豆電球をつないで明かりをつけてみましょう」と、１本または２本の導線でつなぐ図が出ている。

## ②　「金ぞくさがし」

　「電気をとおす物をさがそう」は実は、電気の良導体である金属を探す「金ぞくさがし」の学習である。「学図」では、１円玉（アルミニウム）、〔「しりょう」で、５円玉（黄銅）、10円玉（青銅）も〕、スチール（鉄）とアルミニウムのかん〔後で表面を削って通電する実験〕、はさみの持つ部分と切る部分、「教出」では鉄とプラスチックのスプーン、１円玉と10円玉、はさみの持つ部分と切る部分、その後別立てでかんの表面を削って通電する実験、「啓林」では１円玉と10円玉、はさみの持つ部分と切る部分、鉄とアルミニウムの空きかんの色を塗ってある部分とはがした部分、「大日本」では銅と鉄のくぎ、一部表面を磨いたアルミニウムと鉄の空きかん、はさみの持つ部分と切る部分、「東書」では、図版はなく、まとめの表のみだがはさみの持つ部分と刃の部分、１円玉（アルミニウム）と10円玉（銅）、鉄のかんと表面を削った鉄のかんが調べる対象になっている。これらはものの名前ではなく、素材、つまり金属に目がいくので、よい。

ただ、教科書のまとめではどれも例えば、「鉄、アルミニウム、どうなどを金ぞくといいます。金ぞくには、電気をとおすせいしつがあります」とあるが、実験段階では

23

材質を言葉で説明しているだけである。調べる対象の製品になる前の材料の形に近い、金属板を示してから教えた方が、効果があるのではないか。どの教科書にも、子どもたちの吹き出しとして「ピカピカしているもの」という言葉がある。実際子どもたちも、予想段階で思いつくことである。金属板と通電した製品を見比べて、ぴかぴか光る金属光沢や同じ色を見れば、言葉も定着しやすいのではないか。

「東書」には単元の最後に「電気を通す物発見」が紹介されているが、このような「豆電球テスター」づくりをして、ぜひ身のまわりの金属さがしに発展させたい。


## （8）じしゃく

金属の中の鉄だけが磁石につくことを確認するのだから、調べる対象については、前の電気の単元とほぼ一緒の物が描かれているのは自然なことであろう。同じ物の方が（これは電気をとおしたから…）と子どもたちの考える流れができるし、より鉄を印象的に“磁石につくもの”として理解できる。

「学図」では「やってみよう！」でペットボトルに鉄を入れて磁石を近づけてみたり、糸につなげたゼムクリップを磁石で引き寄せて浮かせたり、磁石を入れたプラスチック容器を重ねていくことで鉄を引きつける力の強さ調べをすることなどをとり上げている。糸につなげたゼムクリップ（鉄）を磁石で引き寄せる実験は、「教出」「東書」でもとり上げられている。磁石の大切な性質の１つである、磁力がある程度離れていてもはたらくことを３年生にも印象的に理解させることができるので、ぜひ扱いたい。「大日本」は、「学図」のプラスチック容器同様、磁石と鉄の間に段ボール紙を重ねていく実験をしている。

どの教科書も、磁石の両端に鉄を強く引きつける部分があることを前提とし、棒磁石の両端にゼムクリップがたくさんぶら下がっている写真を載せている。そして「この部分を極という」としている。「学図」「啓林」も同じだが、鉄を棒磁石のいろんな部分にくっつけて引きつけられるかどうかを確かめる絵も掲載している。１つ１つやって確かめていく段階の３年生なので、「手に持った棒磁石のいろいろな部分にゼムクリップをぶら下げてみよう」という実験をしてからの方が、極のイメージがつくりやすく、理解しやすいだろう。

今回の学習指導要領改訂では、これまでの「磁石に付けると磁石になる物があること」から「磁石に近付けると磁石になる物があること」に変更されている。磁石に接触しているかいないかという違いだが、どちらにしても「磁場の中に置かれた鉄は磁化される」ということだろう。この辺り、各教科書を見てみると、「教出」「啓林」「東書」は「じしゃくにつけると、鉄は、じしゃくになる」としており、「学図」は棒磁石

に縦に２～３本クギを並べてつけ、どのクギも磁石になっていることを確かめて「じしゃくに引きつけられた鉄は、直せつついていなくても、じしゃくになります」。「じしゃくに近づけた鉄は、じしゃくになります（大日本）」とまとめている。

なお磁石になったかどうかの確かめ方は、「学図」「大日本」は"砂鉄がつくか""方位磁針の針の動き"、「教出」は"ほかの鉄がつくか""砂鉄がつくか"、「啓林」「東書」は"ほかの鉄がつくか""方位磁針の針の動き"、となっている。

ここは、「磁石は鉄を引きつける」こととともに「同じ極どうしを近づけるとしりぞけ合う」ことも学習しているので、「啓林」「東書」のように調べたい。ほかの３社では砂鉄を使っているが、よく考える子は混乱するのではないだろうか。電気、磁石と学んできて、「ピカピカと光っている金属は電気をとおすけれども、その中で磁石につくのは鉄だけだ」と理解しているはず。（砂鉄はピカピカ光っていないのに…？）という疑問が出てくる。確かに砂鉄集めは楽しいし、磁石に引きつけられた砂鉄の造形も興味を引くが、やるとすれば年度末などの別の時間に取り組んではどうだろう。

「東書」には「学びを生かして深めよう」というコラムで、「身のまわりのどんなところにじしゃくが使われているか、さがしてみましょう」と３つの例を写真で示して呼びかけている。裏を返せば身のまわりに鉄が多く利用されているということで、前の単元の「金属さがし」同様、「磁石を近づけてはいけない物」にも注意しつつ「鉄さがし」にも取り組ませたい。


## （9）音

今回の学習指導要領改訂で復活した単元である。どの教科書もほぼ、音楽室の楽器の音を出して振動を確かめ、糸電話や鉄棒で音が伝わることを確認する流れとなっている。

「東書」は冒頭で「紙やわゴムなどを使って、くふうしてがっきをつくり、音を出してみましょう」と呼びかけ、紙笛と輪ゴムギターを紹介している。「問題をつかもう」のコーナーであり、単元の前の導入扱いとなっているのが気になるが、科学工作をして各自が音を出し、振動を体験してみんなで確認する活動は、ぜひ取り入れたい。

また「学図」は「ものをたたいたり、はじいたりすると、音が出ます」、「啓林」は「ものをたたいたり、はじいたり、ふいたりすると音が出ます」と文章で、「大日本」は「はじく」「こする」「たたく」行為をイラストの吹き出しで、それぞれ冒頭に載せている。音は物と物とがなんらかのかたちで接触したときに発生するので大切な指摘である。子どもたちには、「何が何をどうしたときに音が出た」ということを、「○○がふるえていた」という振動とともに意識させたい。

「音は物を伝わる」ということに関しても、糸電話だけでなくいろいろと確かめてみたい。「学図」は鉄棒と、糸に吊したフォークをたたく、「教出」は鉄棒、「啓林」は鉄棒や教室の黒板、「大日本」は糸の代わりに針金、「東書」では鉄棒や階段の手すりも調べるよう呼びかけている。これらを参考に、いくつかの実験で確かめたい。

　ところで「教出」は糸電話の2つめの実験として、床に置いた紙コップの上面になった底にビーズを置き、1人がそれを押さえながら、糸でつながった別の紙コップからもう1人が話してビーズの動きを観察させて音の伝導を確認している。音の伝導が、見てわかる実験になっていておもしろい。

　また「啓林」は「音をつたえるもの」というコラムで、「空気や水も音をつたえます」と書いている。私たちが生活の中で物の振動を音として認識できるのは耳の中まで空気の振動が伝わり、その信号が脳まで伝わるからだが、見えない空気についての理解は、3年生には難しいのではないか。水中については、他社でも掲載しているものがある。プールの時間に水中に潜り、友だちのバシャバシャと水面をたたく音などを聞いた経験はあるだろう。

　「啓林」は冒頭で、「じっと耳をすましてみると、いろいろな音がきこえてきます」と述べている。風の音、虫の鳴き声等など、いろんな音に関心をもたせたい。"音見つけ"に取り組めば、「東書」のコラムの「セミははらをふるわせて、鳴き声を出して」いるような発見があるかもしれない。季節の自然観察中にサクラの花びら笛や草笛などに取り組んでも、楽しみながら音（振動）を感じることができる。


## （10）物と重さ

　本来は発達段階からしても、学習内容としても物質学習の多い4年生でやった方が理解できる内容である。3年生でやるとなると、時期としてはできるだけ論理的思考ができはじめる4年生に近いところということで、できれば「学図」「啓林」「大日本」のように、学年最後の単元としたい。

　各社とも導入部分で、まず手で持ってみて重さ比べをしているのはよい。「重さ」とは手に持ってその度合いをはかることのできる量だからである。

　ところで、「体せき（体積）」という言葉が出ている。「学図」では同じ1kgの砂糖と塩を提示したうえで、「もののりょうやかさなどのことを、体せきといいます」と定義している。しかし、"りょう（量）"というのは長さや重さ、体積の上位概念ではないだろうか。「教出」は、縦・横・高さがまったく同じ直方体の木と鉄をアルミ箔で包んだ物の重さ比べをしたうえで、「ものの大きさのことを体積といいます」としている。「啓林」は、「ものの大きさ（かさ）のことを体積といいます」と文章表記で示してい

る。その説明は、後ろの方の「算数のまど」でコップ3杯分と2杯分のオレンジジュースで、体積の大小を説明している。「大日本」は、キャラクターの吹き出しで小さく「（2年の算数で学習した）かさのことを体積というよ」とあり、「東書」も、2年の算数で学習した水の体積（かさ）の絵を載せながら、小さく「物の大きさ（かさ）のことを体積という」と述べている。

　どの教科書も体積そのものを追求して学ばせるというかたちにはなっていない。「教出」は問題設定は1つだけであるが、体積の定義の前に大きさ比べをやっている。時数的にも3年生であるということを考えても難しいところではあるが、少なくとも単元冒頭の1時間を使っていくつか大きさ比べをしたうえで「物のかたまりの大きさを体積という」ことくらいは学ばせたい。そして次の時間に体積では"物の量の大小は体積ではわからなくても重さではっきりわかる"ことを確認した後に、重さの学習に入っていきたい。子どもたちは、重さと体積が違う量であることを十分に理解していないからである。

　この「体せき（体積）」の定義の後、どの教科書も学習指導要領に「物は、体積が同じでも重さは違うことがあること」と書かれていることから、「体積が同じでも、物の種類が違うと、重さは違うことがある」ことを取り扱っている。しかし前述したように「体積」もしっかりと学習していないし、これは「密度」の学習となり、3年生には大変難しい内容である。できれば扱わない方がよい。やるとすれば、どの教科書（中には発展的扱いだが）にもあるように、木、ゴム、アルミニウム、鉄、プラスチックなどの同体積の直方体や球で事実を押さえるくらいにしたい。なおこの場面、「教出」は発展的扱いだが、「学図」「東書」は砂糖と食塩をメインの課題として取り上げている。しかし粉体はどうしてもすき間ができるので、「体積」の学習にはなじまない。

　「ものの形を変えても重さは変わらない」ということについて、どの教科書もまず粘土で確かめている。そして「啓林」「大日本」「東書」ではアルミ箔、「教出」ではペットボトル、「学図」では「やってみよう」で「アルミ箔の皿、紙コップ、体重計に乗った姿勢の違い」で調べさせている。これらのつけ足しは大切である。1つの認識を獲得させるのに1つの事実では少ない。複数の事実を確認することで、「やっぱりそうだ」と納得できるからである。

　また、算数にも3年生で「重さ」の学習があり、教科書を見ると内容が重複している部分もある。算数には少人数学級の時間があり、担当教員との調整も難しいところではあるが、できれば「重さ」という共通の単元を、理科と算数の合科とすれば、時数も確保できる。

# 第 **3** 章
## 授業をどのように進めるか

### (1) 3年生の特徴を考えて

　これまで繰り返し述べてきたように、3年生ではまだ、個々の事実をとらえることはできても、それらの事実をつなげて一般化することは難しい。例えば第2章で述べたように、「カラスノエンドウの花が咲いて、枯れたら実（たね）ができた」「ホウセンカの花が咲いて、枯れたら実（たね）ができた」と個別に認識することはできても、まだ「花の後には実（たね）ができる」と、一般化して認識することは難しい。つまり、3年生ではまだ4年生くらいから育つといわれている、論理的思考がうまくできない。

　このようにみると、3年生では、直接自然にはたらきかけて、自然の事物や現象を、個別的に、豊かにとらえられるようにするのがよいと考える。3年生は個別の認識を足掛かりにして、次第に論理的に考えるようになっていく時期でもあるので、自然にはたらきかけるなかで3年生なりの論理を磨いていくことも大切にしなければならない。

　だから授業では、4年生に近づいた3学期後半は少し4年生への橋渡し的な展開を考えるにしても、活動的な3年生には「やってみてわかる」授業をしていきたい。したがって、1時間ごとの学習課題も、3年生最終盤以外は予想を立てて話し合うためというよりも、「～をやってみよう」という"作業課題"ともいうべきものを考えたい。

　3年生で身につけさせたい学習内容の吟味と、子どもたちの実態に見合った学習の進め方を、授業づくりでは大切にしていきたい。

### (2) 指導計画をつくる

　授業づくりは、まず第1に、子どもたちに学びとらせる学習内容を明らかにすることである。それが目標であり、さらにその目標を具体化した1時間、1時間のねらいを設定する。次に、それをとらえるのに適した教材を選択し、それが生きてはたらき、ねらいを獲得できるように、学習課題づくりをする。　学習課題は、前時から本時へ、そして次時へと発展するように、子どもの思考の流れを考えて配列する。4年生以上

のように論理的に考えられないとしても、前に学習したことを使って学習課題を考えられるようにしたいということである。　こうして指導計画ができあがる。「電気をとおすもの」で考えてみる。私たちは多くの金属製品を利用して生活している。身のまわりに金属がたくさんあることを、金属さがしで見つけさせたい。金属は電気をよく通すので、豆電球テスターがあれば、明かりがつくことで金属であることがわかる。これは３年生でもできる。

　すると、その金属さがしの前に、どんなものが電気をとおすかの学習を組み、金属とはおおよそどんな物かのイメージをつかみ、金属が電気をとおすことを学ぶ必要がある。そして電気をとおすということを確かめるには、回路ができたときに電気がとおり、豆電球に明かりがつくことを学んでいる必要がある。

　これで、学習目標とおおよその単元の流れが決まった。次は教材を考える。　回路学習はくわしくは４年生でやるので、豆電球、ソケット、乾電池があればいいだろう。何が電気をとおすかの学習では、子どもたちの身のまわりにあるものをいくつか使いたいが、製品名ではなく物質名に注目させたいこともあり、同じスプーンでも材質の違うものを用意したい。また、「金属は電気をとおす」ということを確かなものにするために、金属を塗装した空き缶も用意し、塗装をはがせば電気をとおすことを確かめさせたい。

　こうして教材が決まったら、再度子どもたちの思考の流れになじむか検討して、単元の流れは決まる。

　次に、それぞれの時間の学習課題づくりである。

　１時間１時間の授業は、学習課題を具体的に把握し、それの解決に、クラスのみんなが取り組むように運営する。学習内容を、みんなのちからで、科学の方法によって獲得する授業である。　こうした授業づくりは、基本的には全学年に共通する。しかし、４年以上と３年以下では、異なる面がある。　「なぜだろう」「どうしてかな」などと原因を探るような話し合いにつながる課題は、論理的に追求できる４年生以上がよい。３年生では、まだ、そうしたことに不得意である。「やってみる」ことでとらえる個別的な認識をする時期なので、簡単な質問をしたり、「～をやってみよう」という形の作業課題を出したりして授業を始める。

　例えば、「金属でできているのに、豆電球に明かりがつかないところがあった。どうしてだろう。きょうはそのことを、空き缶をつかって調べてみよう」と呼びかけ、手があがったら発言させるが、基本的にはすぐに作業をさせる。


## （3）１時間の授業のながれ〈具体的な実践例は（4）参照〉

## ①　質問や作業課題提示

　このように、話し合いのための課題を出すのではなく、簡単な質問をしたり、作業課題を出したりする。

　発言があればいくつかとり上げ、すぐに②に移る。

## ②　実験・観察・工作

　実験や観察、工作をする。

　黙っていても子どもたち同士で教え合い、学び合いながら進めていくが、全体のものにした方がいいようなことが出てきたとき、作業の途中がいいか、作業が終わってからいいかを判断して、みんなで確認するようにする。

　例えば、電気をとおすもの見つけでは、電気をとおすものがピカピカ光っているなどの共通点を確認するのは作業後の方が集中してできるのでよい。しかし、動くおもちゃづくりをしていて「動かない」と困っている子がいたとする。通常は「よく動いている子の作った物を見てごらん」など教え合い、学び合いを促す。しかし動く原理を知る大事なことで、クラスみんなで確認した方がいい場合、みんなに注目させて「SOS。こんなふうに作ったのだけど、動かないんだって。どうしてかな？」と、みんなからの意見を出させるのもよいだろう。

## ③　ノートにまとめる

　教科書のように「＜じっけん＞＜じっけんのけっか＞＜わかったこと＞」としてしまうと、３年生ではまだ何をどのように書いたらいいかとまどってしまう。

　そこで、最初は「きょうの勉強を見ていない家の人にもやったことがわかるように書いてみよう」または「きょうやったことを、絵日記を書くように書いてみよう」等と導入する。慣れてくれば、「きょうやったことを書こう」と呼びかけて、ノートに書かせる。

　また、早めにノートを書き上げた子には、お手本にその場で読み上げてもらう。その書きぶりから、何をどう書けばよいのか等、子ども同士で学び取れることがたくさんある。〔ノートに書く意義については、「(5) 自然をつづる」参照〕

## ④　３学期後半の授業では

　３年生では「〜をやってみよう」というかたちで「やってみてわかる」授業をするが、３学期の最後「物の重さ」では４年生への橋渡しとして、少し話し合いをさせるようにした。ここでは、次のような流れとする。

ア　教師が学習課題を提示する。

イ　子どもたちは学習課題と＜自分の考え＞を5分くらいでノートに書く。教師は、子どもたちのノートを見て回り、誰がどんな考えをもっているかをつかむ。そして、どの子とどの子を話し合わせると授業のねらいがはっきりするかを考えておく。

ウ　学習課題によっては意見分布（違う意見ごとに、それぞれ何人いるか。必ず"わからない（まよっている）"という項目も入れる）をとり、板書する。

エ　最初に"わからない（まよっている）"の子、その後少数意見から、何人か理由を含めて、ノートに書いてあることを発表させる。

オ　それぞれの立場から、質問、反対意見、賛成意見を述べさせながら、無理のない程度に話し合いをさせる。

カ　意見の変更を聞く。

キ　実験をする。

ク　きょう「やったこと」をノートに書く。

## （4）授業実践例

　基本的には（3）の①～③のように授業を進める。ここでは2つの単元から、1時間ずつ実践例を紹介する（具体的な指導目標や指導計画などは、第5章参照）。

【展　開】

### アブラナのからだ　1時間目
【ねらい】アブラナのからだには、根、茎、葉、花、実がある。

T：今日はアブラナの観察をします。（実物を見せる）どこにあるか知っている？

C：事務室の前の畑にある。

T：ではこのように根から取ってきましょう。

（子どもたち、グループごとに1株取ってくる）

―この授業が終わったら、さまざまな植物を教室に持ち込んでほしいと考えている。植物を持ち込む際は一部分（花だけとか、葉だけではなく）ではなく、1株全体を持ってくると教室でしばらく育てることができ、変化を追うこともできる。植物の教室への持ち込み方としてこのようにして1株持ってくることをやってみる。―

T：グループごとに1株取ってきたね。何か見つけたことはあるかな？

　―子どもたちの発見から授業をすすめていく。―

C：土の中に白い根っこがあった。それで根っこが結構長い。

T：みんなのアブラナには白い根っこがある？（ある）それを「根」と言います。

C：1番上に黄色い花がある。

C：花の中に棒みたいなのが何本かあるよ。

C：真ん中のぼうの真ん中が黄色くなっている

T：良く見つけたね。この黄色いのを「花」というんだね。花についてはまた今度
　くわしくやろう。

C：葉っぱがついている。下の方に大きな葉っぱがついている。

C：葉っぱに線がある。

T：それを「葉」と言います。そして葉がついているこの棒、これを「茎」と言い
　ます。

C：あ、たねが入っている！先生、この長細いのをあけてみたらたねが入っている
　よ！

T：他のグループはどう？

―他の人の発表を聞いて終わらせるのではなく、自分でも手を出して発見すること
　が3年生には大切である。―

C：あった！ほんとだ、たねがたくさん入っている。

C：たねがこのふくろにつながっているよ。

T：このたねが入っている袋のことを「実」といいます。実の中にたねがたくさん
　入っているんだね。

（そのほかにもいろいろな発表があるだろう）

T：では今見つけたことを、絵と文で書きましょう。

**子どものノート例** ●

アブラナを事務室の前からとってきました。根、くき、葉、
花、実がありました。実の中を見てみたら小さなたねが
入っていました。2段になって入っていました。実のま
くにくっついていて、はずれないようになっていました。
実の中にはたねがありました。

## 日常の活動「しぜんのたより」と連動させながら

　3年生の子どもは自分でさわったり見たりする直接経験によって、認識を広め、
深めていく。「この花にもおしべとめしべがあるかな」「この花が散った後にたねが
できるかな」などと、学習したことを使って身のまわりの植物に目を向け、自分か
ら手を出して調べるようにしたい。そうして子どもたちはふだん気に留めていなか
った野草にも関心をもつようになるだろう。

　身のまわりの野草に目が行き、自分の発見は誰かに伝えたくなる。そこで「しぜ

んのたより」というコーナーを朝の会に設け、「朝の1分間スピーチ」のように発表

させるようにしている。アブラナの学習を行った際は次のような発表があった。

**「ネギボウズにたねができてる」ＳＫ**

ＳＫ：ネギボウズの花びらをわるとたねがありました。こげちゃいろっていうか、茶

　　色のたねがありました。とうめいな花びらをとってつぶしたら、ネギのにおいが

　　しました。3つぽこってなっているかたまりがあった。ぽこってなっているうえ

　　に毛があって、その先っぽに小さいたねみたいなのがありました。

（ネギボウズの花を1つ1つとって子どもたちにくばる）

Ｃ：ぼくの入っていない。

Ｃ：白いのが入っている

Ｃ：ＳＫさんはその花は、前から花だとわかっていたの？

ＳＫ：おばあちゃんから教えてもらった。

Ｃ：ネギボウズをどうやって見たらたねができているって気付いたの？

ＳＫ：中に黒いのが見えました。

Ｃ：なんでたねってわかったの？

ＳＫ：たねってだいたい茶色だから。

---

**ゴムで動かそう　2時間目**
**【ねらい】円盤を割り箸で遠くにとばす。**

Ｔ：Ｓさんの「今日やったこと」を読むよ。『今日、先生が「そこにいるとあぶな

　　いよ」と言ったので、先生のほうへ行ったら、先生が何かをとばしたので、びっ

　　くりしました。何をとばしたかというと、ゴムを使ったおもちゃです。最初は手

　　にあたって痛かったけど、先生に教えてもらったのでとびました。でも痛くてゴ

　　ムを伸ばせませんでした。』手に当たって、いたかった人？

－1時間目に手で輪ゴムを引っ張って、円盤をとばした。そこでの活動では「輪ゴ

ムを伸ばした方がとぶから伸ばしたいんだけど、円盤がとぶ時に指に当たって痛く

てゴムを思いっきり伸ばせない」と言ったことが出るだろうと、教師として見通し

をもっておいた。それがおもちゃ作りのねらいである「つくり、つくりかえる」こ

とを学習する1つ目のポイントとなるのである。－

　前の時間に子どもがノートに書いた「今日やったこと（※下部参照）」の文章を以

上のような視点で読むと、何人かの子がＳさんのようなことを書いてくる。それを

使って授業を始めることで、前の時間とのつながりを意識させる。－

みんな：はーい！自分に当たった。親指に当たった。遠くまでとばそうと思ってや

ると、しゅーんっていって、ぱしってあたる。

Ｔ：もうＡちゃんは、とばしかたはわかっているんだけど、怖くてゴムをあんまり
　引っ張れないから、全然とばないんだよね。指を使わないでやる方法ないかなぁ。

Ｃ：割り箸を使えば（あーそうかぁ！）

Ｃ：割り箸てっぽうみたいにすればいいんだ。

Ｃ：パチンコみたいにばんって。

Ｃ：ぼく、前にすごく痛かったから、今日持ってきたよ。

―このようなやりとりが展開されるだろう。そうして割り箸を導入することで、次
の活動での円盤がとぶ距離が飛躍的に伸びるのである。―

Ｔ：割り箸だったら痛くないね。（割り箸に輪ゴムをつける）あぶないよ、みんな。
　（とばしてみせる）

みんな：うおぉー！

―教師がやってみせ、子どもの心に火をつける。「やりたい！」という気持ちを授業
の最初にもたせることが重要である。教室でとばすのでは狭すぎるので、外で活動
するとよい。―

Ｔ：グループ全員が割り箸を使ってとばせるようになったら、遠くにとばすための
工夫をしてね。

―おもちゃ作りの授業では、基本的なところまでは必ず全員成功させることが大切
である。―

Ｃ：割り箸でやったら手が痛くないからよくとぶようになった。

Ｋ：ゴムをいっぱいひいたらとんだよ。

Ｔ：みんな集合。Ｋさんが遠くにとばすコツを見つけたよ！

―活動中の子どもたちの言葉に耳を傾けておく。遠くにとばすコツをとらえた子が
いたら、子どもたちを集合させ、そのコツを共有する。この学習での単元目標が「ゴ
ムを伸ばすと遠くにとぶ」であるから、それに関わる発言をしている子どもをピッ
クアップする。また、そのほかにもさまざまな工夫が出るだろう。―

Ｋ：ゴムを　けっこう　のばすと　とぶ。

Ｃ：また、あの壁にぶつかって入りそうになった。それくらい遠くにとんだ。

Ｃ：ベランダのうえにのっちゃった。それくらい遠くにとんだ。

Ｔ：とばしっこ大会をしましょう。

（とばしっこ大会をしたあと、教室にもどる）

　教室に戻ったら「今日やったこと」をノートに文章で書かせる。その際、次のよ
うなことに留意する。

●「今日やったことをノートに書きましょう」と声をかけるだけにする。この授業

で書かせたいことは、この授業のねらいである「輪ゴムを伸ばすと円盤が遠くにとぶ」ことである。そのことが、子どもたちが自分で意識して書けるようにしたいのである。

●ノートに文章を書かせるとすぐに「できた」と言って教師に見せにくる子どもがいる。書いてきた文章にこの授業の狙いに当たる部分が書かれていないような場合は、次のようなやり取りを1対1対応でする。

Ｃ：できた。（教師、文章を読む）

Ｔ：Ｋちゃんが遠くにとばすコツを教えてくれたね。なんて言っていたっけ？

Ｃ：ゴムを長く伸ばす。

Ｔ：そのこと書いてきて。

**子どものノート例 ●**

「わごむを長くのばすとすごくとぶ」

どうやったら指に当たらないでできるかなぁと言いました。それで何人かの人が割りばしを持ってきました。先生が割りばしに輪ゴムをひっかけてとばしました。そうしたら黒板からとばして正面のかべに当たりました。その後みんな作って外に出ました。そうしてＫちゃんが先生に呼ばれて、みんな集合と言って、みんなＫちゃんのを見ていました。Ｋちゃんのコツは輪ゴムをいっぱいひっぱることでした。そうしたらすごくとびました。

## (5) 自然をつづる

　自然をつづる。それは自然の事物や現象を見つめ、調べ、考え、授業や観察の学習記録文を書くことである。

　子どもたちは、いろいろな生活の場面で自然の事物や現象を見て、「変だな」「不思議だな」「おもしろいな」などと思うことがしばしばある。しかし、それを調べたり、追求したりすることなく終わることがふつうであろう。ところが、それを記録しようと心がけるならば、さらによく見たり、確かめたりするようになる。記録文を書くことは、自然を正しく豊かにとらえるために大切なのである。そればかりではなく、記録文を書くことは、自分の観察したことや考えたことを、ことばで正しく表現する能力を訓練することになり、観察力や理論的な考え方をのばすことにもなる。

　よく、文章を書くことに抵抗が大きく、子どもはなかなか書きたがらない、といわれる。確かにそうだが、学習記録文はそんなにむずかしいものではない。自分が見たことを、その順序に、できるだけくわしく書けばよいのである。事実を記録するのだから、これはだれにもできるだろう。文章表現力を育てるために、こうした記録文を

書かせることからはじめるのもよいのではないか。

　金属さがしや光集めといった学習でも、1時間1時間のおわりに、「やったこと」を書かせる。「わかったこと」とは言わない。「わかったこと」は何かと問われるとなかなか書けないものである。

　「きょう、やったことを書こう」と言うと書きやすいし、自分がしたことを再現するように書くので、なにをしたかを自覚できる。

　1時間1時間が、自分はこういうことをやったんだと満足感をもって学習が終わるようにしたい。そのために、書きたくなる内容のある授業づくりをしなければならない。

　学習記録文はだれにでも書けるはずだといっても、文をうまくつづれなかったり、書くことをいやがったりする子がいることも事実である。その子たちにとっても書き方がわかり、書く喜びがもてるように指導するのが教育であるから、教師はなんらかの方法を講じなければならない。事実を記録した文章であっても、子どもの個性が表れている。だから、どんな作品にも、その子なりのよさがあるはずである。それを認めてやることが大切である。

　子どもたちは、教師に認められること、友だちに認められることに、大きな喜びをもつ。そうした場を作ることである。最も効果的なのは、印刷して配布することである。子どもたちの作品の中から、みんなに知らせる価値があると判断したものを印刷する。ここに、教師に認められたよろこびがあり、印刷されるようなものを見つけたり、書いたりしようという思いにさせる。

　次に、作品を読み合い、話し合うことである。そのなかで、友だちの意見に学ぶ。1人ひとりが生きている、コミュニケーションのある教室にもなる。そして、知的好奇心を引きおこすことにもなる。

　それでも、書けない、書こうとしない子がいたらどうするか。

　自然観察では、クラスで出かけたときに、その子が見つけたこと、思ったことなどの話を聞き、「いま話したことを、そのまま書いてごらん」と促す。

　教室の授業で、まとめの文章を書くとき、なかなか書きはじめられない子を見かけたら、ぐんぐん書いている子に、「今、書いたところまで読んで」と指示する。これを聞くことによって、どう書いたらよいかのヒントになる。

　自分のことばで、自分の文章をつづることのできる子に育てたいので、書く力が伸びるように指導したい。

　学習記録文を書くことには、次のような価値がある。

●したこと、聞いたことなどを再現することだから、もう1度、思いおこし、確認することになる。

●それは、学習の自覚化である。自分が学習したことは、どういうことだったかを自覚するのである。

●そのとき、自分は、どんなことを考え、どうしてきたかを見なおし、今度は、こうもしてみようとも考えることになる。

●そして、1人ひとりの書いたものが発表されると、1人の発見、1人の疑問、1人の思いが、みんなのものになる。共有化されるのである。

●こうした活動をとおして、表現力が育つことはもちろん、想像力、創造力、思考力なども伸びる。

　なお、特に自然観察では、文につづるほかに、絵でも表すようにする。その絵は文章内容をおぎない、よくわかるものに役立つ。その絵は、その子がいちばん描きたいところを描いているものなので、何をよく見たのか、何を伝えたいのかもわかる。

　絵に描き、文につづることは、子どもの認識を深め、確かなものにするので、重要である。

# 第 4 章

# 年間指導計画はこうしたい

子どもたちは 4 年生ごろから論理的な思考ができるようになり、筋道立てて物事を理解できるようになる。よって本格的に自然科学の基礎を学ぶ授業は、4 年生以降となる。

そこで前章までで述べたような事柄を考慮しながら、4 年生以降の学習の素地となる大切な学習内容は何か、その内容を子どもたちが理解できる学習順序は何か、という観点で年間指導計画私案をつくった。

子どもたちの知的好奇心がゆさぶられるような学習が必要である。子どもたちが学ぼうとしなくなったと、よく言われるが、子どもたちにとって魅力ある、学ぶに価する内容であるかどうかを、まず見直す必要があるだろう。

魅力ある内容を学び、わかる、できる喜びがもてるようになれば、「やりたがり・知りたがり」の 3 年生の特長を生かしながら、積極的に自然に働きかけていくようになる。

## 3 年理科　年間指導計画案（84 時間）

| 月 | 単元名（時間） | 学習活動の内容 | 備考 |
|---|---|---|---|
| 4 | 1．▽自然のかんさつ①（1） | (1) 近くの自然（野原、森林、緑地公園、公園など）の観察　見つけたものを、絵と文で書く。　「しぜんのたより」の開始。 | 記録を印刷し「しぜんのたより」として配布。読み、話し合うのは朝の時間。 |
| | 2．◎生き物をそだてる①（1） | 植物 (1) ホウセンカのたね　観察とたねまき | 変化のあったときに記録する。 |
| | 3．アブラナのからだ（5） | (1) アブラナのからだ調べ　根・茎・葉・花・実（たね）<br>(2) 大きな実と小さな実<br>(3) 実と花<br>(4) 花のつくり　がく、花びら、おしべ、めしべ | がく、花びら、めしべ、おしべなどの花のつくりもとらえる。 |
| | ◎生き物をそだてる②（2） | 植物 (2) ホウセンカの発芽と子葉<br>昆虫 (1) モンシロチョウやアゲハの幼虫のからだと食べ物 | |
| 5 | ▽自然のかんさつ②（1） | (2) 花さがし | |
| | ◎生き物をそだてる③（2） | 植物 (3) ホウセンカの茎と葉<br>昆虫 (2) モンシロチョウやアゲハの成長のしかた | 計画にとらわれず、生物の変化の見ら |

| 月 | 単元名（時間） | 学習活動の内容 | 備考 |
|---|---|---|---|
| | 4．◇こん虫のからだ①（1） | (1) チョウ、バッタ、カマキリなどの口 | れる時期に授業を行う。 |
| | 5．太陽とかげ（3） | (1) 太陽の光で影ができ、どちらも1日の間に移動する<br>(2) 正午の太陽の位置から東西南北がわかる<br>(3) 方位磁針を使っても、東西南北がわかる | |
| 6 | 6．日なたと日かげ（4） | (1) 物の温かさ、冷たさ<br>・物の温かさ、冷たさを皮膚で調べる<br>・物の温かさ、冷たさを温度計で調べる<br>(2) 温度計の使い方<br>(3) いろいろな物の温度を調べる | 毎日の室温を調べる（日直） |
| | ◎生き物をそだてる④（2） | 植物 (4) ホウセンカの花<br>昆虫 (3) モンシロチョウやアゲハの成虫のからだと食べ物 | |
| 7 | ▽自然のかんさつ③（1） | (3) 虫さがしやたねさがし | |
| | ◎生き物をそだてる⑤（1） | 植物 (5) ホウセンカの実 | |
| | ◇こん虫のからだ②（3） | (1) チョウ、バッタ、カマキリなどの口<br>(2) カマキリ、バッタ、チョウなどのあし<br>(3) こん虫のからだのつくり | |
| 9 | 7．光集め（7） | (1) 真っ暗な部屋に入ってみよう<br>(2) 鏡で、横や後ろにある物を見てみよう<br>(3) 光当て遊びをしよう<br>(4) 鏡で光を集めてみよう<br>(5) 虫めがねで光を集め、紙をこがしてみよう<br>(6) 虫めがねカメラを作って遊ぼう | オリンピック聖火は、凹面鏡で採火する。 |
| | ▽自然のかんさつ④（1） | (4) 秋の自然かんさつ（いろいろな虫やたね） | |
| 10 | 8．風で動かそう・ゴムで動かそう（10） | 1．風で動かそう<br>(1) 風で紙を動かそう<br>(2) 風で動く車を作ろう<br>(3) 2枚ばねの風車を作ろう<br>(4) おめめくるくる風車を作ろう<br><br>2．ゴムで動かそう<br>(1) 輪ゴムで円盤をとばす<br>(2) 割り箸で円盤をとばす<br>(3) いろいろな円盤をとばす<br>(4) 発射台を作って、円盤をとばす<br>(5) 輪ゴムでぴょん作り<br>(6) コトコト車作り | 風がやや強いときに、ようすを観察させたり、体感させたりしておく。<br>（雲が流れる、木の枝が揺れる、髪がなびく、風に押される…） |

| 月 | 単元名（時間） | 学習活動の内容 | 備考 |
|---|---|---|---|
| 11 | 9. 電気をとおすもの<br>　金ぞくさがし<br>　（7） | (1) 豆電球にあかりをつける<br>(2) 金属テスターを作る<br>(3) 電気をとおすもの、とおさないもの<br>(4) 空き缶はどこも金属か<br>(5) 金属をみがいたり、たたいたりしよう<br>(6) 金属さがし | 金属さがしは、家庭でも。<br>鉄さがしは、家庭でも。磁気カードなどを壊す心配があれば、鉄製ゼムクリップで磁石さがしを。 |
| | 10. じしゃく<br>　鉄さがし<br>　（10） | (1) 磁石にくっつくものは鉄である<br>　①磁石遊び・磁石にくっつく物を調べよう<br>　②鉄さがしをしよう<br>(2) 磁石は鉄との間に物がはさまっていても引きつける<br>　①クリップは宙づりにできるかな？ | |
| 12 | | (3) 磁石には2つの極がある<br>　①磁石が鉄を引きつける力はどこが強いか調べよう<br>　②磁石の2つの極を調べよう<br>(4) 磁石の性質を使って考える<br>　①方位磁針も磁石かどうか調べよう<br>　②磁石にくっつけた鉄は磁石になる<br>　③磁石は折れても磁石になるかな？<br>(5) 磁石を使ったおもちゃを作ろう | |
| 1 | ▽自然のかんさつ⑤（1）<br><br>11. 音が出るとき<br>　（7） | 冬の自然かんさつ<br>　（霜、霜柱、氷、冬芽、冬越しの昆虫など）<br><br>(1) 紙笛を作り、音を出してふるえを感じよう<br>(2) たてぶえ型紙笛を作り、音が出たときのふるえを見てみよう<br>(3) 輪ゴムのこと（琴）を作って、音のもと（ふるえ）を見てみよう<br>(4) いろいろな楽器で音を出して、ふるえているところを探してみよう<br>(5) 風船電話を作って、声が伝わることを確かめよう<br>(6) 声は糸を伝わって、離れた人に聞こえるか確かめよう<br>(7) 針金でも音は伝わって聞こえるか確かめよう | |
| 2 | 12. 物の重さ（14） | (1) 体積という量<br>(2) 重さという量<br>(3) 重さは手で持って比べられる（直接比較）<br>(4) 1つの物を使って、2つの物の重さを比較する（間接比較）<br>(5) 同じ小さな物の数で重さを比べる（個別単位）<br>(6) 重さの単位・gといろいろな重さの粘土玉作り<br>(7) はかりでいろいろな物の重さをはかる<br>(8) 台ばかりで重さをはかる／重さの単位・kg<br>(9) 物の変形と重さ<br>(10) どんな小さな物にも重さはある。 | |
| 3 | | (11) 物の重さの加法性<br>　①重さは足し算できる。<br>　②重さは引き算できる。<br>　③「水そうのきんぎょの体重を知りたい。どうしたらわかるだろう」 | |

# 「先生！４本あしのチョウがいたよ！」

 チョウの写真　 カマキリの写真

「こん虫は６本あし」のはずなのに、タイトルのような報告する子がいる。

事故であしが２本とれた？右の写真は羽化したばかりのコミスジだが、向こう側は隠れて見えないものの、やはり４本あしに見える。事故ではなさそうだ。

その下の写真はリュウキュウアサギマダラが蜜を吸っているところであるが、やはり４本あしに見える。しかし、白い円内をよく見ると、ここに前あしが小さく折りたたまれて存在している。

実は、アカタテハやツマグロヒョウモン、オオムラサキなどのタテハチョウ科のチョウは、前あしが退化して"４本あし"に見えるのである。

子どもたちが戸惑うことにもう１つ、「こん虫は頭・胸・腹に分かれている」ということがある。カブトムシやカマキリは、中あし、後あしがまるで腹から出ているように見えるからだ。

こん虫の胸は前胸（前あしがついている）、中胸（中あしと前ばね）、後胸（後あしと後ばね）の３つの部分に分かれている。

カブトムシは前胸と中胸の境目がはっきりしていて、しかも背中側から見ると中胸と後胸、そして腹が前ばねに覆われているからである。腹側から見ると、中胸や後胸と違った節の部分が確認できる。ここが腹である。カマキリは大きなカマ（前あし）のある前胸が中胸や後胸と違い、目立って長く、中胸から後ろはカブトムシと同じで前ばねに隠されている。これもまた腹側から見て、節のある腹にはあしがついていないことが確認できる。

# 第 **5** 章
## こんな授業にしたい

　この章では、各単元の授業がイメージできるように心がけて述べた。

　基本的にはすべての単元を同じ形式で述べているが、「1．自然のかんさつ」については、構成を変えている。

　"しぜんのたより"は子どもの発表によるノン・プログラムの活動であるので、ほかの授業と関連づけながら述べている。季節ごとの「自然かんさつ」は、もちろん、「2．生き物をそだてる」「3．アブラナのからだ」「4．こん虫のからだ」の学習後に"しぜんのたより"で関連した事実を見つけたいし、逆に"しぜんのたより"の発表を、それらの単元で子どもたちに改めて提示して考えさせていきたいと考えるからである。

　《ノートに書いてほしいこと》は、《ねらい》に対応して、授業後に「こんなことを子どもたちに書いてほしい」という内容を示した。この例示のすぐ上の行に〈「やったこと」を、それぞれの子ども自身の言葉でノートに書く。〉とあるように、教師がまとめを板書し、それを子どもたちが写し取るというのではなく、その授業でやったことを順に、子ども自身の言葉で書くものである。

　なお、「2．生き物をそだてる」では《ノートに書いてほしいこと》ではなく、《カードに書いてほしいこと》としている。これは、「1．自然のかんさつ」と「2．生き物をそだてる」では、"「しぜんのたより」カード"を使うような展開にしたからである。　「1．自然のかんさつ」では《カードに書いてほしいこと》ではなく、子どもの作品をそのまま載せている。

　もちろん、1年をつうじてノートを使ってもかまわない。やりやすい方で実践してほしい。

# 1．自然のかんさつ

## 【目標】

(1) 身のまわりの自然に目を向け、見つけたことを話したり、書きつづったりする。

(2) 動物は、「どこで何をしていたか」「どんな動きをしていたか」「何をどのように食べていたか」など、成長し子孫を残す姿を見つける。

(3) 植物は、「どんな所で成長しているか」「花からどのように実ができるか」など、成長し子孫を残す姿を見つける。

## 【指導計画】 5時間

(1) 春の生き物さがしと「しぜんのたより」のよびかけ …… 1時間
(2) 花さがし ……………………………………………………… 1時間
(3) 虫さがしやたねさがし …………………………………… 1時間
(4) 秋の自然観察 ……………………………………………… 1時間
(5) 冬の自然観察 ……………………………………………… 1時間

## 【事前の準備】

★ 学校の校庭や周辺にある緑地を下見しておいて、どこにどんな植物や動物がいるか、おおよそ把握しておく。子どもたちを連れ出す際は、見せたい自然がどこにあるかを考えて、連れていくルートを事前に考えておく。

## 【学習の展開】

### 第1時 春の生き物さがしと「しぜんのたより」のよびかけ

**ねらい** 校庭などで春の生き物を見つけ、見つけたことを絵と文でかく。

**準 備**
・「しぜんのたより」カード（児童数分・次ページをA4に拡大コピー）

**展 開**
① 子どもたちを学校やその周辺にある緑地に連れ出して、「春の生き物さがし」を行う。

# しぜんのたより

絵は点線の中にえんぴつでこくかく。色はぬらない。

月　　　日　　　名前

だい

※たりなかったら、うらにつづきを書く。

「スミレがここに咲いている」「ナズナがある」「石をひっくり返したら、ダンゴムシがいた」などと話したり、子どもが見つけたことをとり上げたりしながら、校庭や緑地を一巡する。育てたいものが見つかったら、教室で飼う。

② 教室に戻って、「しぜんのたより」カードをくばり、自分が１番書きたいものを絵と文で書くように指示する。絵を描いたけど、文の書き方がわからないという子どもには、教師のところに来て絵を見せて見つけたことを話させる。そして、「今話したことを書いて」と１文ずつ書かせる。

③ 絵についても（これでいいのか）と不安な子には、絵を見て何を見つけたのか聞いて、そのことが絵でわかりにくかったら、自分の見つけたことがわかるよう話す。（右の子どもの「しぜんのたより」カード参照）。

④ 子どもたちが書いた作品をいくつか読ませる。

⑤ 授業の終わりに、教師の「しぜんのたより」を発表する。

**子どもの「しぜんのたより」カード**

ヘビイチゴの色は赤でした。ヘビイチゴの葉っぱをあけてみたら、中にイチゴみたいなのがありました。はじめてみたので、びっくりしました。

「つくしを見つけました。頭の部分をぽんぽんとたたくと、緑色の粉が出てきました」などと話をする。自然の中からつくしをみつけたこと、「たたく」というはたらきかけをしてみたら発見があったこと、それを実物を見せながら発表するという例示をする。

そして「朝の会の時にしぜんのたよりという発表をします。何か自然の中で見つけたことがあったら、実物を持ってきて発表してください。持ってこられない場合は絵と文で紹介してください」とよびかける。

※ 可能ならば、集めた作品に教師が簡単なコメントを書いてやったり少しずつコピーして配布したりできると、子どもたちは意欲をもって活動するようになる（大事なことは絵も文も見つけた事実が見えるように記録すること。上手、下手ではなく、見つけた事実に関する教師の共感や助言を書き添えることができるとよい）。

## 「しぜんのたより」の活動について

この活動は、理科の授業とは別に、朝の会のプログラムの１つとして毎日行う活動である。子どもたちが放課後の遊びなどで見つけたことや考えたことについて絵と文に書いたり、発表したりする。その後、例えば次のような発表・質疑応答をする。

「カモの たまご」5/22

　今日、グリーンパークの
いけの カモを 見たら
カモが 立っていて たま
ごが 見えました。
数えたら 8こありました。
とても きれいに なら
べて ありました。
カモの お母さんは
雨が ふっても ずっと
たまごを あたためていて すごいなと 思いました。

「カモの 赤ちゃん」5/29のあさ

　カモの 赤ちゃんが 4わ うまれました。わたしは 日よう日の おひるごろ
見ることが できました。お母さんカモが 「ガーガー」なくと、赤ちゃんカモが
「ピーピー」と ないていました。なにか はなしているみたいでした。たまごが
1つだけ のこっていました。そのたまごから 赤ちゃんは うまれてくるのかな?

●朝の会での発表

A:昨日スイカとタチウオをカミキリムシが食べると聞いたので、カミキリムシにあ
　げました。タチウオは食べなかったけど、スイカを近づけると、スイカを食べま
　した。こんどメロンをもってきて食べさせようと思います。質問はありますか?

質問:スイカをどのぐらい近づけたの?

A：目の前

質問:どうやって食べていた?歯とかベロあった?

A：あったと思う。

質問:それはカブトムシみたいにオレンジのブラシみたいな（口）を出していまし
　たか?

A：わかりません。

質問:ベロ（口）の色は何色?

A：あるかないかわかりません。でもスイカにくっついてしばらくはなれなかった。

## 第2時　花さがし（「アブラナのからだ」の授業をしたころ行う）

**ねらい**　いろいろな花から実（たね）ができる姿を見つける。

**準　備**

・「しぜんのたより」カード（児童数分）

**展　開**

① 「アブラナのからだ」の授業で、アブラナの花から実（たね）ができることを学習

したことを話しあう。

② 「今日は、校庭や緑地でいろいろな花をさがしてみよう」と言って、「花さがし」を行う。「ナズナの花からナズナの実（たね）ができていた」「サクラの花からサクラの実（たね）ができていた」「タンポポの花からタンポポの実（たね）ができていた」など、花から実（たね）ができた様子など見つけられるとよい。

③ 教室に戻って、「しぜんのたより」カードをくばり、自分が１番書きたいものを絵と文で書くように指示する。

④ 子どもたちが書いた作品をいくつか読ませる。

⑤ タンポポのたねを採ってきて、牛乳パックやプリンカップなどに土を入れ、その上にタンポポのたねを置き、しばらく観察するように話す（時々、水分が乾いてしまわないように霧吹きで土をしめらせておく）。

サクラの花と
実の写真

カラスノエンドウの
花と実の写真

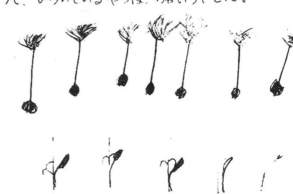

子どもの「しぜんのたより」カード

# 「花さがし」の後の「しぜんのたより」

　この時期から夏休み前にかけて気温が上がり、植物が成長して大きくなり、花を咲かせることが多くなる。4月に学習した「アブラナのからだ」の中の「おしべ・めしべ」や「アブラナの花からアブラナの実ができる」などの知識を使いながら、花に目を向けるとよい。いろいろな植物の花から実になる様子が見られることもあるだろう。

**カラスノエンドウの花から実（たね）ができる。**

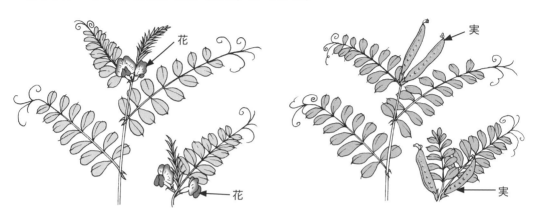

### カラスノエンドウのたねの散布

　黒くなったカラスノエンドウの実を1人1房以上机に置いておく。すると「パチンッ」という音をさせて、たねがとび散る。

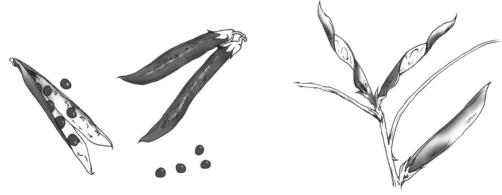

### ヒナゲシの花から実（たね）ができる。

成熟するとめしべのふたが開き、風に揺られてたねを散布する。

成熟するとめしべのふたが開き、風に揺られてたねを散布する。

若い果実　　成熟した果実

## ●ツツジの花にはめしべとおしべがある。

発表者：昨日ぼくは学校の登校班の帰りにツツジを見つけました。色は白でした。ツツジを帰りの時には取りませんでした。その後ランドセルを置いて、遊びの帰りにとりました。花びらは5枚で、模様はありませんでした。ツツジのおしべとめしべを合わせた数は10本でした。家に帰る時にがくとつなが

「べたべたなツツジ」

っていた少し上の折れているところにみつが入っています。がくのおしべとめしべがつながっているところがべたべたしていました。

子ども：知ってる！下の葉っぱをとって、めしべの根元の方を吸うとみつが出るよ。

子ども：めしべの下に丸いところがあって、そこにみつがあるんじゃないかと思う。

子ども：チョウがストローみたいなのを長く伸ばして、奥の方のみつを吸っている。

発表者：そう。普段は丸まっているけど、のむときに長く伸ばして、花の奥の方に入れて飲んでいる。

子ども：ということはめしべの下の方にストローをいれてのんでいたら、おれたちがのむところと一緒ってことだ。

子ども：じゃあ、おれらがみつなめまくったら、チョウがのむのがなくなっちゃう。

### はたらきかけ・実験観察してみる

　次の日、さっそく観察してきた子がいた。

子どもの「しぜんのたより」カード

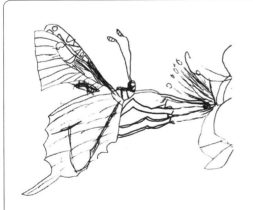

今日、ツツジの花にチョウがとまっていました。やっぱりチョウがみつを吸うところは、わたしたちがツツジのみつを食べたところから吸っていました。わたしたちはかんで食べるのに、チョウはなんで吸えるのかが不思議だなと思いました。しょっ角は長かったです。あとおしべはチョウのあしをのっけるところなのかなと思いました。

しょっ角は長かったです。チョウが花のみつを食べたところを見れてよかったです。

●テントウムシが卵を産んだ

ぼくは出かけた帰りにテントウムシがたまごを生んでいるのを見ました。初めて見ました。テントウムシは黒いテントウムシでした。うしろにへんなものがついていました。そこから卵をうんでいました。背中のあたりには確かオレンジ色の変な形をした点がありました。たまごが生んであった形は忘れてしまいました。

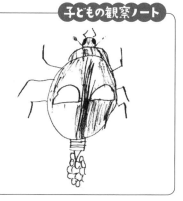

※　これは偶然外で見かけているが、テントウムシを飼ってみるとよい。

●テントウムシの幼虫がさなぎになる。

ぼくは登校班の行きにさなぎになりそうなテントウムシの幼虫を見つけました。木の棒でつついたら卵と同じ黄色い液が出てきました。学校から帰ってきて見てみたら、同じところでさなぎになっていました。

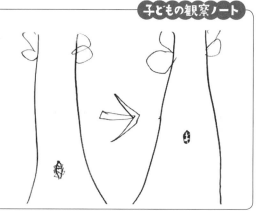

## 第3時　虫さがしやたねさがし（「生き物を育てる」の授業をしたころ行う）

ねらい　いろいろな虫やたねを見つける。

準　備

・「しぜんのたより」カード　・とった虫やたねを入れるポリ袋（どちらも児童数分）

展　開

①　「生き物をそだてる」の授業で、ダンゴムシが卵を産み、子孫を増やすことを学習したことを話す。

②　「今日は、校庭や緑地でいろいろな虫をさがしてみよう」と言って、「虫さがし」「たねさがし」を行う。いろいろな虫の交尾や産卵、くっついたり、はじけたり、服にくっついたりする、いろいろな植物のたねなど見つけられるとよい。

③　教室に戻って、「しぜんのたより」カードをくばり、自分が1番書きたいものを絵と文で書くように指示する。

④　子どもたちが書いた作品をいくつか読ませる。

## 「虫さがし」「たねさがし」の後の「しぜんのたより」

　夏になると、昆虫が大きくなり見つけやすくなる。大きくなった分食欲も旺盛であり、食べている様子もよく見られる。また、交尾の様子が見られることもある。「生き物を育てる」の項を参考にしながら教室で飼育し、飼育中に見られることについても発表したり、絵と文に表したりするように促すとよい。

●チョウの幼虫の羽化（「生き物をそだてる」の項参照）

**子どもの観察ノート**

　今日学校で〇〇さんとキタテハのさなぎを見たら、さなぎが黒くなっていました。でも糸でつながっている場所は少し茶色でした。からだのあたりにとげがありました。葉っぱにくっついています。〇〇さんは「死んじゃったんじゃない？」と言っていました。ぼくはさなぎのからの色がうすくなって、キタテハのチョウの色が見えやすくなったのか、われやすくなったのか、どっちかだと思います。〇〇さんは「ぬけたやつをもってきたのかなぁ」と言いました。チョウになるとうれしいです。なったら自然に逃がすと決めました。しっぽのあたりに割れている穴がありました。

## 第4時　秋の自然観察（「こん虫のからだ②」の授業をしたころ行う）

**ねらい**　秋のいろいろな虫やたねを見つける。

**準　備**

・「しぜんのたより」カード　・とった虫やたねを入れるポリ袋（どちらも児童数分）

**展　開**

① 「こん虫のからだ」でいろいろな昆虫の食べる様子やからだのつくりなどを学習したことを話す。

② 「今日は、校庭や緑地で秋のいろいろな虫やたねをさがしてみよう」と言って、「秋の虫さがし」「秋のたねさがし」を行う。いろいろな虫の食べるようす、くっついたり、はじけたり、服にくっついたりする、いろいろな植物のたねなど見つけられるとよい。

③ 教室に戻って、「しぜんのたより」カードをくばり、自分が1番書きたいものを絵と文で書くように指示する。

④ 子どもたちが書いた作品をいくつか読ませる。

## 「秋の自然観察」のころの「しぜんのたより」

秋はバッタなどいろいろな昆虫が交尾し産卵する姿が見られる。

### ●バッタが交尾し、産卵する

**子どもの観察ノート**

　今日、谷戸山公園でイナゴをとりました。最初は1匹しか交びしていませんでした。でもこれを書いていたら、もう1匹も交びしていました。でもメスがふり落としてしまいました。あしで落としました。ふり落とされたオスは葉っぱにとびついて、葉っぱを食べていました。その後見たら、おしりとおしりをくっつけていました。下がメスで、上がオスだと思います。下のイナゴのおなかがピンク色でした。夕ご飯を食べ終わった後に見てみたら、土におしりをつっこんでいました。たまごを生んでいました。またイナゴになるのが楽しみです。

### ●カマキリがバッタを食べる。

**子どもの観察ノート**

　チョウをつかまえました。つかまえたチョウをカマキリが食べるかなと思って、カマキリの虫かごに入れたら、前の2本あしでしゃっとつかまえて、はねだけ残して食べました。からだだけ食べて、最後にはねだけ落ちました。カマキリのおしりに4本しっぽみたいなのがついていて、中ぐらいのと小さいのがありました。何cmかわかりません。かまきりの口は、たまにかまでかいていました。

### ●ナキイナゴやコオロギなどの虫が鳴くときは、からだの一部を動かしている。

発表者：キリギリスがいつも教室で鳴いていて、どうやって鳴いているのか気になっていて、いつも見に行くと失敗しちゃってたんだけど、昨日鳴いていることころをみることができました。はねをぶるぶるふるわせていました。

質問：どんな鳴き声でしたか？

発表者：シーシーって言う感じ。言うのが難しい。

　この時期から12月にかけて、あちこちに実（たね）ができるため、教室に多くのたねが持ち込まれる。教室の一角に模造紙を貼り、見つけた実（たね）をボンド等で貼り、「たねコレクション」とするとより活動が豊かになる。

●果物の中にたねがある。

　ぼくは今日家でイチゴの観察をしました。周りから見ると、たねがついていました。イチゴの下の方があまくて、上の方は苦かったです。切ってみたら白い所がたねの方につながっていました。真ん中の方は上の方がふくらんでいて、下の方が細くなっていました。上の方から切ってみると、やっぱり白いのがたねの方に行っていました。下の方がかたかったです。中はすごかったです。

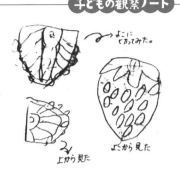

●アメリカセンダングサのたねはくっつく。

　わたしは車がとめてある所でくっつき虫を見つけました。いもうとのジャンバーにいっぱいくっついていました。くっつき虫はなんでくっつくんだろうなって思いました。

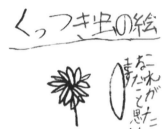

「たねにも　毛がはえている」½。

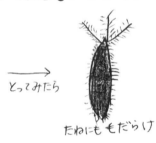

とってみたら

たねにも　もだらけ

　くっつき虫のたねをよーく見てみました。たねにも毛がいっぱいでした。さわったらそんな感じはしませんでした。くっつくフックのところにも毛がはえていました。たねは黒で、フックのところは黄土色。毛は１ｍｍです。毛があるからくっつくのだと思いました。

## 第５時　　冬の自然観察

**ねらい**　寒い冬ならではの自然の事実を見つける。

**準　備**

・「しぜんのたより」カード　・虫めがね（どちらも児童数分）

・カッターナイフ（教師用）

① 寒くなって見られるようになった自然の様子を話しあう。「氷やしもばしらが見られるようになった」「昆虫が少なくなった」など。

② 「冬の生き物はどうしているか」話しあう。「日当たりの良い石の下で虫が冬越しをしている」「さなぎが見つかる」「植物に冬芽がある」など。

③ 「今日は校庭で冬芽の観察をしよう」と言って、虫めがねを持ってサクラやツバキなどの冬芽を観察する。芽を縦に切って中を開くと、葉や芽があることを観察する。（図はサクラの冬芽）

④ 教室に戻って、「しぜんのたより」カードをくばり、自分が１番かきたいものを絵と文で書くように指示する。

⑤ 子どもたちが書いた作品をいくつか読ませる。

葉芽　花芽　花芽
サクラの冬芽

## 「冬の自然観察」の後の「しぜんのたより」

　寒くなり、今まで見られていた植物も葉を落としていたり、動物も見られなくなってしまったりするため、「しぜんのたより」の発表が少なくなってくる時期でもある。ただ、よく見るとサクラの木やアジサイに冬芽がついていて、切り開いてみると中に葉が入っていることを見つけることができる。霜柱や、水たまりが凍っている様子などにも目が行くとよい。

### ●霜柱、氷、雪

発表者：霜柱のこと。土は温度によって霜柱の音が違うのかなと思った。１個目はしゃりしゃりで、僕の家の近くの霜柱です。２個目はずりずりっていう音がした。学校の新しい木の下にある土です。同じ場所にある霜柱の音は同じような音でした。質問は？

質問Ａ：音の大きさは？

発表者：音の大きさ（の質問）か！それ、どうだったかなぁ。

質問Ｂ：音が変わるって言っていたけど、大きさは変わるの？

質問Ａ：変わる変わる。おれがやった時は変わったよ。

子どもの「しぜんのたより」カード

校庭の体育倉庫の近くにあった雪から、湯気が出ていました。その雪は太陽の光がその雪に当たっていました。なぜ湯気が出ているのかが知りたいです。ぼくと友だちは「えーっ」と言っておどろきました。雪から湯気が出ているのは初めて見ました。すごかったです。

かわかしている服から湯気が出ていた

　ベランダで洗たく物をかわかしていたら、湯気が出ていました。色は白です。形はぐにょぐにょな形が変わりながら出ていました。上に立ち上っていました。その日は晴れていたけど寒い日でした。その時、ぼくはベランダから出て、服をさわってみたら、まあまあの温度でした。ぼくが見ていた間はずっと出ていました。1枚の服からではなく、3枚くらいの服から出ていました。不思議だなと思って考えました。晴れていたから洋服があたたかくなって、水蒸気が出てきたのかなと思いました。

単元のまとめ

# 「自然のようす」の授業を「しぜんのたより」につながる学習を

## （1）　学び合う子どもたちに

　＜朝の会の発表＞のしぜんのたよりでは、描いた絵と文をプリントにしクラスで読み合った。発表したり、絵と文で書いたりすることは、見つけた自然の事物や現象がどんなものであったか、そして考えたことはどのようなことであったかを自覚することになって、認識がしっかりし深まる。

　それを読み合うことは、学級の仲間に自分の発見を知ってもらうこと（共有化）である。そのためにみんなにわかってもらえるように話したり、書いたりする努力が生まれる。発表を聞いたり、文を読んだりしてわからないところがあると質問されるので、不十分だったことにも気づくことになる。

　こうした自覚化と共有化が生まれるのが「しぜんのたより」である。

## （2）　話したがり・知りたがり・やりたがりの子どもたちに

　p.46 の、カモとカミキリムシの発表を例に述べる。

　「先生、カモの卵が生まれたんだよ」と、朝教室に入ると A がすぐに話しに来た。発見があると話したくなるのだ。そして絵と文で書いたものをみんなの前で読んでみると他の子も知りたくなり、放課後集まってカモの卵を見に行く。そして今度はその子たちが発表をやりたくなったり、話したくなったりする。そんな「話したがり、知りたがり、やりたがり」の子どもたちが育つ。

　自然は多様であるので、「カモの卵からカモの赤ちゃんが生まれた」ことと同様に「トカゲが卵を産んだ」「ダンゴムシの卵からダンゴムシの赤ちゃんが生まれた」など広がっていく。カミキリムシがスイカを食べた発表についてはこれより以前に「トカゲがバッタを食べた。丸のみのようだった」の発表が何度かあった後の発表であった。そして「アゲハ蝶の幼虫がミカンの葉っぱを食べた」「カマキリがバッタをとって食べ

た」なども発表され、それらはどれも「食べた」ことではあるが、食べ方も多様であるし、食べ物による口の形も違うことがわかっていく。そうなっていくと生き物を見つけた時に「何を食べるんだろう？」「どうやって食べるのだろう？」「口の形はどうなっているのかな？」と考え、自然にはたらきかける。するとさまざまな発見が生まれるのである。

　その結果「話したがり、知りたがり、やりたがり」に育つのである。


## （3）　見つけたことを話したり、書き綴ることができる子どもたちに

　見つけたことを絵と文で書かせるということは、見つけたことを認識させることである。そして話す相手、書いて読んでもらう相手がいることによって、「わかるように伝えよう」という意識がはたらく。そうした意識がより自然へのはたらきかけを促すことになる。そのため、絵と文で書くことを大切にしたい。


## （4）　自然に目を向け、自らはたらきかける子どもたちに
### ●どのような自然に目を向けさせるか

①　動物は食べて成長し、子孫を残す。

　　動物は食べ物を見つけて、とらえて食べて生きている。そして交尾し、産卵したりする。それらの事実を身近な自然で見つける。

②　花は実（たね）をつくって子孫を残す。

　　動物の栄養獲得は、他の動物や植物を捕食することである。これは身近な自然の中でも目にすることができる。ところが、植物の栄養獲得は動物のように見ることはできない。植物は緑の葉で日光のはたらきによって栄養物をつくる（光合成をする）ことで、栄養を獲得できるのである。茎ののばし方や葉の付き方や生えている場所などの事実を身近な自然で見せたい、

　　また、植物でよく目につき観察しやすいのは花である。花は植物の生殖器官であり、子孫を残すために種子をつくる器官である。３年ではいろいろな植物の花を観察し、実（たね）ができるという事実を見つけるようにすればよい。「タンポポの花からタンポポのたねができた」「エンドウの花からエンドウの実ができた。実の中にはたねができていた」などといった、個別の事実をたくさん見つけさせたい。

### ●どんなはたらきかけを大切にするか
・量をとらえる（長さ、大きさ、広さ、数）
・比べる（類似、差異、共通点、区別）
・疑問をもつ
・仮説をたてる

・実験・観察してみる（ためしてみる）

・調べる（図鑑を見る、人に尋ねる）

・既知の知識を結び合わせたり、体験を思い出したりする。

・根拠に基づいて推測する。

・原因と結果を関係でとらえる。

・やや一般化してみる

・継続して観察する。

## ●方法

・見つけた自然を発表する場を毎日用意しておく。朝の会のプログラムの中に入れておくとよい。「今日自然のおたよりがある人？」と聞き、手を挙げた児童が発表する。発表にたいして質疑応答をする。発表する人数がだんだん増えてくるので、時間が長くなってしまう場合は、1日のどこかの隙間の時間に行うようにする。

・「しぜんのたより」カードに、見つけた自然を絵と文で書かせる。そして見させたい自然やはたらきかけをしたことが書いてある作品を印刷し、全員に配布し読み合った後に質疑応答をすると、ひとりの発見がクラスのみんなに広がる。

## ●年間の見通し

　以上のような視点で子どもたちが見つけてこられるとよい。ただ、子どもたちの発見によって展開されていくので、カリキュラムのようなものを立てることはできない。

　しかし、どんな自然を見ることができるのか、季節ごとにどんな自然が見られるか、そしてどんな発表がされるか、おおよその見通しをもっておくことはできる。

なお、光や音、電気、磁石など3年生で学習したことに関わることも「しぜんのたより」として発表されるとよい。

# 2．生き物をそだてる

## 【目標】
......................................................................................................

### 植物を育てる
（1）ホウセンカなどのからだは、根、茎、葉、花、実（たね）でできている。

（2）ホウセンカなどの花から実（たね）ができる。

### 動物を育てる
（1）モンシロチョウやバッタなどは、食べて成長する。

（2）モンシロチョウやバッタなどは、卵→幼虫→（さなぎ）→成虫と成長する。

## 【指導計画】　8時間
......................................................................................................

### 植物
（1）ホウセンカのたね ……………………………………… 1時間

（2）ホウセンカの発芽と子葉 ……………………………… 1時間

（3）ホウセンカの茎と葉 …………………………………… 1時間

（4）ホウセンカの花 ………………………………………… 1時間

（5）ホウセンカの実（たね） ……………………………… 1時間

### 昆虫
（1）モンシロチョウやアゲハの幼虫のからだと食べ物…… 1時間

（2）モンシロチョウやアゲハの成長のしかた …………… 1時間

（3）モンシロチョウやアゲハの成虫のからだと食べ物…… 1時間

## 【事前準備】
......................................................................................................

★　最近は、栽培用の土もポットとセットで購入し、植物を育てる学校が多いようだ。
しかし、次のような方法で土をつくり、花壇で栽培する方法もある。

　　たねまきの2週間ほど前に花壇の土をシャベルなどで、30 〜 40cm ほど掘り返
し、土のかたまりをほぐしていく。空気が入って、土が柔らかくなるようにする。次
に腐葉土などの堆肥と、酸性の土を中和するかき殻などの有機石灰をすき込み、水
はけをよくするために畝をつくっておく。腐葉土や有機石灰は、園芸店で購入でき
る。

★　校内にキャベツやアブラナをできるだけ多く栽培すると、春から夏にかけてモン
シロチョウがとび交う姿や、その観察中に産卵している姿が見られる。

　　ユズやミカン、カラタチやサンショウなどのミカン科の樹木があれば、アゲハが

産卵し、幼虫の食草になるので、探しておく。ただし、農薬をまかれる心配のない
ものを選んでおく。

## 【学習の展開】

．．．．．．．．．．．．．．．．．．．．．．．．．．．．．．．．．．．．．．．．．．．．．．．．．．．．．．．．．．．．．．．．．．．．．．．．．．．．．．．．．．．．．．．．．．．．．．

植物

### 第1時　ホウセンカのたね

**ねらい**　ホウセンカのたねを観察する。ピーマン、オクラ、ダイズは
実の中にたねがある。

準備

・ホウセンカ、ピーマン、オクラ、ダイズ（3種の野菜のうち育てるものだけ）のたね

・ピーマン、オクラ、ダイズ（枝豆）の実　・カッターナイフ

・ピンセット（どれもグループ数）

・「しぜんのたより」カード（⇨ p.43「1.自然のかんさつ」参照）

展開

① 　ホウセンカのたねをくばり、「しぜんのたより」カードに、絵と文で観察記録を書
かせる。

② 　ピーマン、オクラ、ダイズの中から、育てるものの実をくばる。「実の中はどうな
っているだろうね」と話し、カッターで切り開かせる。

③ 　ピーマン、オクラ、ダイズの中から、育てるもののたねをくばる。②で実の中に
入っていたものと比べさせ、まだ熟して乾燥していないので色は違うものの形から
たねであることを確認する。これも、「しぜんのたより」カードに、絵と文で観察記
録を書かせる。

④ ホウセンカと、育てる野菜のたねを土にまく。

カードに書いてほしいこと

　ホウセンカのたねはこげ茶色で丸く、2mmほどで小さかった。ピーマンの実を切っ
たらこれからまくたねと同じ形のたねがいっぱい入っていた。色は白っぽかったけど、
これからまくたねはうす茶色だった。どちらも平べったかった。

### 第2時　ホウセンカの発芽と子葉

**ねらい**　ホウセンカのたねは発芽して子葉が出る。

## 準 備

・「しぜんのたより」カード（児童数分）

## 展 開

① ホウセンカが発芽したり、子葉が出た時期をとらえて、「しぜんのたより」カードに、絵と文で観察記録を書かせる。"子葉"という言葉も教える。

② ピーマン、オクラ、ダイズの中で、育てるものの発芽と子葉の観察記録を、「しぜんのたより」カードに書かせる。

「自然のかんさつ」の第2時にある、タンポポのたねからの発芽観察記録も読ませ、思い出させたい。

### カードに書いてほしいこと

ホウセンカが育って、たねから出た芽が土から外に出てきた。最初は、たねのからをかぶって、おじぎするように出てきた。そのあと、2枚の小さな葉が出てきた。この葉を、「子葉」というそうだ。

## 第3時　ホウセンカの茎と葉

### ねらい　ホウセンカは茎が伸び、葉が増えること。

## 準 備

・「しぜんのたより」カード（児童数分）

## 展 開

① 2枚の子葉の間から茎がさらに伸び、本葉が何枚か出てきたときに観察する。葉がついている棒のような"茎"や、子葉とは形が違い、何枚も出てくる"葉"を確認する。上から見ると、葉が重ならないように茎についていることも確認できる。

② 「しぜんのたより」カードに観察したことを、絵と文で書かせる。

③ ピーマン、オクラ、ダイズの中で、育てるものの茎が伸びて本葉が何枚か出てきたときの観察記録を、「しぜんのたより」カードに書かせる。

※ 栽培した植物の根については、最後に枯れたときに引き抜いて観察する。アブラナの根

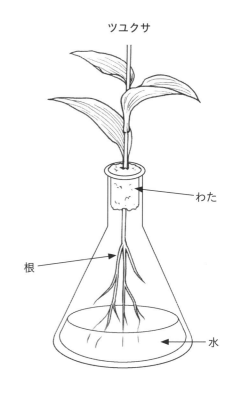

の学習記録を見て思い出させるのもよい。また、ここで栽培例に挙げている例はすべて双子葉植物なので、単子葉植物であるイネ科などの野草を引き抜き、根の比較観察をしてもいいだろう。

　6月ごろに単子葉植物のツユクサが野草としてさまざまな所に生えているのが見られる。それを抜いて教室に持ってきて、右図のように水につけると、根が伸びていく様子が見られる。

**カードに書いてほしいこと**

　ホウセンカの子葉の間からくきがのびて、子葉とはちがう形の葉がたくさん出てきた。子葉は丸い形だけど、新しい葉は先がとがってまわりがぎざぎざしている。上から見ると、1つ1つの葉がちがう方を向いていて、重なっていなかった。

## 第4時　ホウセンカの花

**ねらい　ホウセンカの花には、めしべとおしべがあることがわかる。**

**準　備**

・「しぜんのたより」カード（児童数分）

**展　開**

① 　ホウセンカの花が咲いたら、アブラナの花のつくりの学習を思い出させ、がく、花びら、そして中心にめしべ、そのまわりにおしべがあることを観察する。

② 　「しぜんのたより」カードに観察したことを、絵と文で書かせる。

③ 　ピーマン、オクラ、ダイズの中で、育てるものの花が咲いたときの観察記録を、「しぜんのたより」カードに書かせる。

**カードに書いてほしいこと**

　ホウセンカの花がさいた。赤くてふわふわした感じで、アブラナの花と形はちがっていたけど、がくと花びら、めしべ、おしべがあった。

## 第5時　ホウセンカの実（たね）

**ねらい　ホウセンカの花の後には、実（たね）ができること。**

**準　備**

・「しぜんのたより」カード（児童数分）　・はさみとカッターナイフ（グループ数）

**展　開**

①ホウセンカの実ができたら、花の後に実ができたことを確認し、はさみで茎から切り離し、カッターナイフで切り開く。まいたときと同じ形のたねが入っていること

を確認する。熟した実を指ではさむと、たねがはじけとぶ。これもたねの散布方法なので、観察させたい。

② 「しぜんのたより」カードに観察したことを、絵と文で書かせる。

③ ピーマン、オクラ、ダイズの中で、育てるものの実の観察記録を、「しぜんのたより」カードに書かせる。

※ めしべの根元（子房）の形に着目しているとよい。例えば、ピーマンの花のめしべの子房は、ピーマンの実のような形をしている（右図）。1時間目で観察しておくと、似ていることに気づけるだろう。

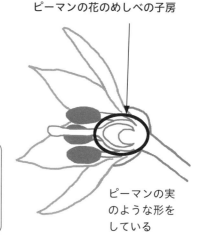

ピーマンの花のめしべの子房

ピーマンの実のような形をしている

**カードに書いてほしいこと**

ホウセンカの花がかれてしばらくしたら、実ができていた。実をカッターナイフで開いてみたら、まいたたねと同じ形のたねが入っていた。

**こん虫**

## 第1時　モンシロチョウやアゲハの幼虫のからだと食べ物

**ねらい**　モンシロチョウやアゲハの幼虫のからだのつくりと、食べ物と口の形。

**準　備**

・「しぜんのたより」カード（児童数分）　・モンシロチョウやアゲハの幼虫
・虫めがね（グループ数）

**展　開**

① 春の生き物さがしで見つけたモンシロチョウやアゲハの卵、その後のしぜんのたより（授業以外も、しぜんのたよりの1テーマとして飼育生物の観察記録をさせておく）での幼虫の観察記録を見ながら、脱皮を繰り返して大きくなった成長過程を振り返る。

② モンシロチョウやアゲハの幼虫の節があって柔らかく長いからだ、前の方（胸）の6本のあし（成虫になっても残る）と、それとは違う形の、茎などにつかまることのできる後ろの方（腹）の10本のあし（成虫になると消える）などをかんさつする。

ガラス板など透明なものの上に乗せて、反対側から観察するとあしの形や動きがわ

かりやすい。ただし、幼虫にとって人間の体温は高すぎるので、指でつまんではいけない。幼虫の乗っていた葉をちぎって移動させる。このとき、葉の縁につかまったりすると、あしのはたらきも観察できる。虫めがねでじっくり見てもいいだろう。

③ キャベツ（ミカンの葉）などを食べているようすを観察する。口（大あご）で葉を食いちぎっていることや、糞をたくさんすることも観察できる。

④ 観察したことを、「しぜんのたより」カードに書かせる。

**カードに書いてほしいこと**

> モンシロチョウの幼虫は、頭からおしりまで2cmくらいに大きくなった。口でキャベツをもぐもぐ、たくさん食べていた。緑色の丸いうんちも、たくさんしていた。あしは、前の方に6本、後ろの方に10本あった。前のあしと後ろのあしは形がちがっていた。キャベツの葉のはしっこにいたとき、あしでしっかり葉をつかんでいた。

## 第2時　モンシロチョウやアゲハの成長のしかた

**ねらい** **モンシロチョウやアゲハは幼虫から成虫になるとき、さなぎになる。**

**準備**

・「しぜんのたより」カード（児童数分）　・モンシロチョウやアゲハのさなぎ
・見つかっていれば、バッタなど不完全変態の昆虫

**展開**

① これまでの観察記録で、モンシロチョウの成長を振り返る。

② 卵から約1か月、さなぎになってから2週間後くらいにははねの模様が透けて見えるようになり、羽化が始まる。ちょうどこのときに授業ができればいいが、

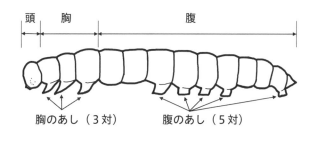

頭　胸　　　　　　腹

胸のあし（3対）　　腹のあし（5対）

なかなか難しい。そこで、幼虫からさなぎに変化したこと、糸をかけていることなど、さなぎの観察をする。

　ほかの授業中でも、羽化が始まれば、みんなで観察する。小型ビデオカメラで撮影し、テレビに映し出せば、みんなで細部まで観察できる。

　幼虫から、まったく違う姿の成虫になる途中に、さなぎという期間があることを確認する。

③ 観察したことを、「しぜんのたより」カードに書かせる。

④　バッタなど不完全変態の昆虫が見つかっていて飼育していれば、その観察記録から、さなぎの段階がないことを確認させる。見つかっていなければ、教科書の写真などを見ながら確認する。

　プール掃除の前に「ヤゴ救出作戦」をする学校も多い。そんなときにつかまえたヤゴを飼育して、成虫（トンボ）になるまでを観察してもいい。

　「バッタやトンボなど、幼虫が成虫と似た姿の昆虫の場合はさなぎにならない。モンシロチョウやカブトムシのように、幼虫と成虫ではその姿が大きく違う昆虫はさなぎの時期がある」ことを確認する。

> **カードに書いてほしいこと**
>
> 　モンシロチョウのさなぎは、糸をからだにまいてキャベツにくっついていた。さなぎの背中が割れて、頭やあしが出てきて、5分くらいでからだが全部出てきた。幼虫とはまったく姿がちがう成虫になった。バッタやトンボは、幼虫と成虫が似た姿をしていて、さなぎにならない。

## 第3時　モンシロチョウやアゲハの成虫のからだと食べ物

**ねらい**　モンシロチョウやアゲハはストローのような口で蜜を吸う。

**準　備**
・「しぜんのたより」カード（児童数分）　・モンシロチョウやアゲハの成虫
・ほかに飼育している昆虫

**展　開**
①　飼育中のモンシロチョウで、幼虫とは違うからだのつくり、飼育箱の中に置いてある、水でうすめたみつやスポーツドリンクを綿にストローのような口をのばして吸うようす（⇨p.75の資料参照）などを観察する。春の生き物さがしのときに、成虫が産卵するようすの記録があれば、ぜひそれも生かしたい。
②　観察したことを、「しぜんのたより」カードに書かせる。
③　観察が終わったら、モンシロチョウはみんなで窓から送りだす。
④　バッタやカマキリなど、ほかの昆虫を飼育していれば、その食べるようすを観察し、「しぜんのたより」カードに記録させる。カマキリがほかの昆虫を見定めてじっと待機し、サッと大きな前あしでつかまえるとばりばりと音を立てて食べるようすが観察できたら、子どもたちにとっては「すごい！」と感嘆するできごととなる。

　飼育昆虫でうまく食べるようすが観察できなかったら、しぜんのたよりの中から適当なものを選び、みんなで確認する。

　モンシロチョウの幼虫にははねがないけど、成虫には４枚のはねがある。幼虫には
あしが16本もあったけど、成虫には細いあしが６本だけだった。幼虫は葉をかみ切っ
て食べる口があったけど、成虫にはストローのような口になっていて、みつを吸いや
すいようにできていた。

## 単元のまとめ

# 「生き物を育てる」ことで成長のようすをもっと詳しく見ることができる

　教科書でも栽培・飼育学習において、その教材生物のからだのつくりや一生を観察
し、記録するようになっている。しかし大切なのは、生物の個体維持と種族維持の観
点での観察である。そうした観点の事実をたくさんとらえさせたい。

　植物では、種が発芽して子葉が出る→茎が伸びて葉が増える・根も伸びる→花が咲
く→実ができるという成長過程のなかでも、次のようなことには配慮して授業したい。

　栽培の最初に、たねの観察・記録をするが、それは花が咲いた後に実の中にあるつ
ぶを見て「たねだ！」と言えるために大切だからである。気温が上がる時期になると
茎が伸び、葉が増え、成長する。「成長する」ということは、生物の特徴である。絵と
文で記録させておくことが大切である。

多くの場合、花が咲くのが夏休み直前といったことが多くなってしまい、観察が難し
い。夏休み前に花が咲いたら必ず観察させたい。花は単に色や形、大きさといったこ
とではなく、花の中をのぞきこみ、アブラナの花と同様にめしべとおしべがあること
に気づかせたい。「アブラナのからだ」の学習をやっていない場合は、栽培した植物の
花が咲いたらおしべとめしべの紹介をする。

　花が咲いた後に実（たね）ができる事実も、ぜひとらえさせたい。こちらも実（た
ね）ができるのが夏休み中になってしまうことが多いため、観察の指導が難しい。その
ためにも４月にアブラナでアブラナの花から実ができ、実の中にたねがあることを学
習しておくことが大切である。その学習をとおして、栽培した植物でも花から実（た
ね）ができる様子を観察させたい。そして実ができたら、中を開いてみようとする子
どもたちにしていきたい。高学年になって植物の繁殖を学習する際の大事な事実確認
ともなる。

　教科書では、ヒマワリ・ホウセンカ・オクラ・ダイズ・マリーゴールド・ピーマン
といった植物を育てることになっている。しかし、ヒマワリとマリーゴールドは小さ
な花の集まりであるため、めしべがたくさんある。そのためアブラナの学習が生かし

づらい。そこでホウセンカをメインに、ピーマン、オクラ、ダイズをその他の栽培植物として授業プランを展開した。ただ、オクラ、ダイズ、ピーマンは食べ物という意識が強いため「実」という感覚をもちづらいが、「実を食べているのか。それとともにたねも食べているのか」という認識をもつことは、子どもたちにとって新たな認識となる。

　こうして自分が植えたたねから発芽し、花から実まで成長するようすを絵と文で記録し学習した内容は、他の植物を見る大切な視点ともなる。

　昆虫も、卵→幼虫→さなぎ→成虫と成長するものと、卵→幼虫→成虫と成長するものがあることや、生息環境については、教科書でも扱っている。食べるようすについては、幼虫に与える食草は出ているが、成虫がどんなふうに何を食べているかは書かれていない。そこで、次のようなことに留意したい。

　まず個体維持の観点からは、食べて大きく成長するという事実をとらえさせたい。モンシロチョウの場合、幼虫の時期には大あごのある口でもりもり食べて、たくさん糞をして、脱皮しながら大きくなる。成虫の時期には花から花へとび回り、ストローのような細長い口を花の中に伸ばしている様子を観察すれば、成虫が花の蜜を吸っていることは想像できるだろう。

　ただし、成虫の吸蜜は成長のためではなく、交尾し産卵するため、つまり種族維持の側面が大きいと考えられる。３年生の子どもたちには、成虫は細長い口で蜜を吸い、幼虫がふ化したときに食べる葉の裏に産卵するという事実をつかませたい。

　どんな昆虫を教材にするかについては、モンシロチョウでもアゲハでも、その地域で見つかるものを飼育して、成長を観察するのがよい。どちらも成長を観察する期間はそれほど変わらない。農薬の散布でキャベツ畑に行っても見つからない状況もあるようだが、モンシロチョウは日本全国で見られ、年間の発生回数も多い（東京付近では４月から９月ごろにかけて５、６回発生）ので、一生が観察しやすいために、どの教科書でもとり上げる教材になっている。アゲハも日本全国の平地などに分布しており、関東から九州にかけては春から秋までに５、６回発生するのも、モンシロチョウと変わらず、近くにカラタチやミカンがあれば教材として適している。

　さなぎにならない昆虫としては、７月ごろから草原で見つけやすくなるバッタや、プール掃除の前の「ヤゴ救出作戦」でつかまえることのできるトンボなどがある。また、４月から５月にかけて孵化するカマキリは子どもたちに人気があり、捕食の場面もぜひ見せたい。

　チョウ、バッタ、カマキリ、コオロギ、テントウムシ、ダンゴムシなど、子どもたちがつかまえた虫たちはみんな飼ってみるとよい。「長生きするように飼おう」とよびかけ、飼育させる。これまで知らなかったことにいくつも気づき、知りたいこといっぱい、やりたいこといっぱい、話したいこといっぱいの３年生になっていくだろう。

# 資料：こん虫の飼育

## ●モンシロチョウ

卵からかえった幼虫は、葉をたくさん食べて成長する。成長するにしたがって、食べる量も糞の量も多くなる。すると葉を運ぶのも大変になってくる。また幼虫はいつも新鮮な葉であるほどよく食べる。そこで、アブラナやキャベツを1株大きな水槽に土を入れて植え、そこへ幼虫を

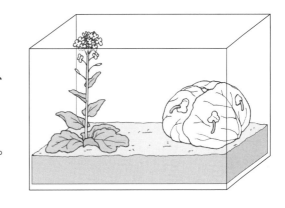

入れる。こうすると、葉を取り換えることもいらないし、糞は土の上に落ち、幼虫が這いまわる所にはたまっていないので不衛生にもならない。子どもたちはふたもしない水槽では幼虫が逃げ出すだろうと思うが、えさのないところへ幼虫が出ていくことはない。

成虫を飼育箱に入れて、その中に水でうすめた蜜やスポーツドリンクを綿にしみこませて入れておけば、口を伸ばしてそのみつを吸うところを見ることができる。

成虫はどんなによい環境をつくっても、20日間くらいで死んでしまう。成虫はその間に種族維持のために交尾し、産卵しなければならない。成虫は食べて生きているが、それは成長するためではなく、種族維持のためであるとさえいえる。成虫の観察では産卵するところをぜひ見せたい。

## ●バッタ

バッタは7月ごろから姿を見つけやすくなる。何度か脱皮を経て、8月には成虫になりかなり大きくなる。バッタはチョウとはちがい、幼虫から直接成虫になる「不完全変態」で、さなぎにならない。皮を脱ぐごとにからだが大きくなっていく様子を観察することができる。

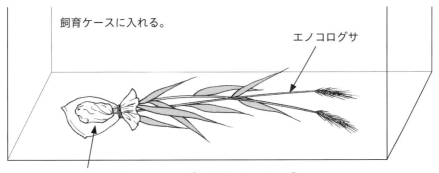

飼育ケースに入れる。

エノコログサ

水に浸したティッシュをビニル袋に入れてしばる。

バッタはエサとしてエノコログサやススキなどを与えれば、2週間以上生きる。9月ごろに教室で飼うと、メスの上にオスがのって交尾する様子が見られる。交尾をしたら深さ20cmほど土を入れる。産卵する様子が見られる。

## ●カマキリ

カマキリは頭を自在に動かしたり、腰をひねらせたりと、さまざまな動きを見せる昆虫である。複眼には、ひとみのような黒い点もあり、こちらを見ているようにも思える。ほかの虫をつかまえる瞬間などは、野外では観察できないが、飼育していると毎日見ることができる。

カマキリは生きたエサが与えられればとても飼いやすい。公園や空き地、学校内の野草がたくさんはえているところなど、あらかじめバッタが捕れるところをさがしておく。

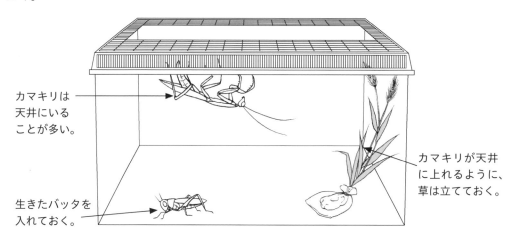

カマキリは天井にいることが多い。

生きたバッタを入れておく。

カマキリが天井に上れるように、草は立てておく。

## ●ダンゴムシ

ダンゴムシは昆虫ではなく、エビやカニと同じ甲殻類である。水の中に入れてもしばらくの間は平気なのである。驚くと丸まる習性があり、「ダンゴムシだったら触れる」という子どもも多い。春から見られるが、1番活発なのは6月から8月ごろで、卵をもっていたり、子どもが生まれたり、脱皮したりする場面を観察することができる。昆虫のように頭・胸・腹と明確に分かれておらず、あしも7対（14本）である。落ち葉などを食べて分解し、土壌形成の一端を担っている生物と考えられているが、死んだ虫なども食べ、フナムシ同様、魚肉も好むようである。

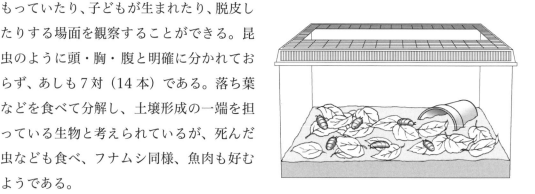

　飼育はとても簡単である。湿った腐葉土を５cmほど入れ、枯れ葉や木片、石など
を入れておく。なんでも食べるので、落ち葉や腐葉土のほかにも煮干しや鰹節なども
与える。直接日光の当たらないところに置き、土が乾かない程度に時々霧吹きなどで
湿らせる。ただし、びしょびしょにならないよう注意する。また、ダンゴムシに直接
かからないよう、ケースの壁面に吹きかけたり、ダンゴムシが石などに隠れている時
に霧吹きしたりするようにする。数匹から10匹ほど飼育ケースに入れておくとよい。
体表が黒光りする物はオス、色が薄くて黄色い斑紋があるのがメスである。梅雨のこ
ろに交尾が見られ、やがてメスは腹にある袋に卵を産む。１か月くらいで卵から小さ
な白い幼虫がふ化する。

　白い幼虫は最初の脱皮で色と模様がつく。何度も脱皮を繰り返し、１cmほどで大
人になるが、その後も脱皮する。脱皮は前後２段階に分かれ、最初に後ろ半分を脱ぐ。
そのあと前半分を脱ぐ。脱皮の殻はモンシロチョウの幼虫と同様に食べてしまう。

# 3．アブラナのからだ

## 【目標】

(1) アブラナのからだには、根、茎、葉、花、実（たね）がある。

(2) アブラナの花は、がく、花びら、めしべ、おしべからできている。

(3) めしべのもと（子房）が成長して、実（たね）ができる。

## 【指導計画】 ５時間

(1) アブラナのからだ………… 1時間　　(3) 実と花………………………… 2時間

(2) 大きな実と小さな実……… 1時間　　(4) アブラナの花のつくり…… 1時間

## 【学習の展開】

### 第1時　アブラナのからだ

**ねらい**　アブラナのからだには、根、茎、葉、花、実（たね）がある。

**準 備**　・1株のアブラナ（花も実もついているもの。何本かに枝分かれした大きな1株がよい。グループ数分）　・カッターナイフ

**展 開**

① アブラナのからだの各部分の名称を確認する。

　　根、茎、葉、花、実の確認をする。

　　根、茎、葉、花はすぐに認めるが、実が問題になる。実という子とたねという子、つぼみという子もいる。

② アブラナを各班に1枝ずつくばり、実をカッターナイフで切り開いてみる。たねが入っていることを確認して、「実（たね）」として言葉を教える。

③ 観察したことを、それぞれ子ども自身の言葉と絵でノートに書く。

アブラナの地上部分の写真

アブラナの青い実と種子の写真

**ノートに書いてほしいこと**

　アブラナには根、くき、葉、花、実（たね）があった。実の部分が実なのか、たねなのか迷ったけど、カッターナイフで開けてみるとたねが入っていたので実（たね）ということがわかった。実の大きさがいろいろあった。

## 第2時　大きな実と小さな実

**ねらい**　　実が大きくなると、たねも大きくなる。

**準　備**

・1株のアブラナ（花と大きな実、小さな実がついているもの）　・カッターナイフ

・虫眼鏡　・ピンセット

**展　開**

① 「大きい実と小さい実があるね。どんなちがいがあるか、調べてみよう」

　　前の時間に実の大小に関わることを書いている子どもがいたら、それを読み聞か

　せることで導入にする。

② 　大きい実と小さい実のついているところを見る。大きい実ほど下にあることを話

　し合う。大きい実と小さい実をカッターナイフで切り開いて虫眼鏡で中を見る。す

　ると大きな実からは大きなたねが、小さな実からは小さなたねが出てくることがわ

　かる。

③ 「観察したこと」を、それぞれの子ども自身の言葉でノートに書く。

**ノートに書いてほしいこと**

　カッターで切って、虫眼鏡で大きい実と小さい実の
たねを比べたらずいぶん大きさがちがいました。大きい
実のたねは小さい実のたねより大きかったです。くきの
下の方にくっついている実の方が大きいです。上の実が
成長して下のようになっていくのかなと思った。

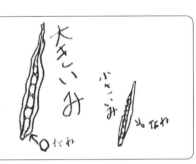

## 第3、4時　実と花

**ねらい**　　花の中に、実になるもの（めしべ）がある。

**準　備**

・1株のアブラナ（花と大小の実がついているもの）　・虫眼鏡　・ピンセット

・カミソリと解剖顕微鏡

**展　開**

① 「大きな実はどんな順序でできたのだろう」と質問する。

　　班で話し合って、大きな実になるまでの順序を1枝のア

　ブラナから切り取って並べよう。

アブラナの花と実の写真

　　「花→かれた花→小さな実→大きな実」という考えが多く出される。かれた花びら

　がついている実を見ると小さいことから、このように考える子が出る。

② 「花から実ができたとすると、花の中に実
になるものがあるかな？調べてみよう」と花
の中の観察をさせる。

③ 「実に形が似たものがある」とめしべを見
つけたら、教師はそれをカミソリで切り開
き、たねのもと（胚珠）があることを見せる。
その後、右図をくばり、ノートにはらせる。

④ 「やったこと」を、それぞれの子ども自身の言葉でノートに書く。

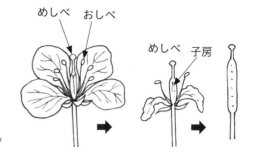

**ノートに書いてほしいこと**

　花の中に実の形に似たものがあった。それがめしべだった。めしべをひらくと、小
さなたねみたいなのがあった。実は花からできることがわかった。

## 第5時　アブラナの花のつくり

**ねらい**　花は、がく、花びら、おしべ、めしべからできている。

**準　備**

・アブラナの花　・ピンセット　・虫眼鏡

**展　開**

① 「アブラナの花はどんなものでできているか調
べてみよう」と言って、花のつくりを調べる。

　ア　花をピンセットで分解し、とったものを
机上に並べる。

　イ　右図のように花の各部分の名称を教え
る。おしべの花粉にさわって、「黄色いもの
がついた」「これなあに？」などという。そ
こで「花粉だよ」と教える。

② 「やったこと」を、それぞれの子ども自身の言葉
でノートに書く。

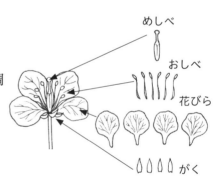

**アブラナの実のでき方**

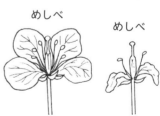

**ノートに書いてほしいこと**

　花びらが4枚で、おしべが6本あって、めしべが
1本ありました。めしべはおしべのまんなかについ
ていた。おしべは先っぽに黄色い粉がついていた。

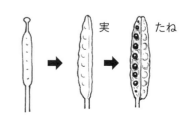

③ 花のつくりについてまとめる。

　花の中に見つけためしべが実になる。そしてめしべが大きくなって、大きな実に

なる。

**●この学習を終えた後のしぜんのたより**

　発表者：カラスノエンドウ（⇨ p.43「1.自然のかんさつ」参照）が帰り道にあった。大

　　きい実と小さい実がついていました。

　質問：カラスノエンドウ、帰り道のどこにあったの？

　発表者：近くの公園

　質問：大きい実と小さい実、たねはいくつ入っていた？

　発表者：大きい実は6個以上、中くらいのは5個くらい。小さいのは3つくらい。

　質問：大きい実と小さい実の大きさはどれくらいでしたか？

　発表者：大きいのは5cmで、たねは1cmくらい。

　質問：このたねの色は何色？

　発表者：黄緑色。

　質問：そのカラスノエンドウは高さは何cmくらい？

　発表者：1mくらい。

　質問：（たねと実がつながっている）ひもはあった？

　発表者：あった

　子どもたち：アブラナと一緒だ。なかまかな。

　アブラナで学習したことを使って自然を見ることができるようになる。こうしたこ

とにつなげようという見通しをもって、この単元を取り組むとよい。

**単元のまとめ　花は繁殖器官である**

　アブラナは秋発芽して冬を越し、春になるとぐんぐん成長して花を咲かせ、実（た

ね）をつける。大きな実ができはじめたころのアブラナを見ると、1株につぼみ、開

花したもの、花が散ったもの、小さな実、大きな実がついている。この時期に1株の

アブラナを手にすると、アブラナの開花から結実までの様子を知ることができる。ア

ブラナは花が小さくて扱いにくい難点もあるが、長期の継続観察をしなくても花から

実（たね）ができることをとらえることができるので、花の学習によってよい教材で

あるといえる。そこでアブラナのからだのつくりとともに、アブラナの実（たね）は

アブラナの花からできたことをとらえさせるようにする。

　花から実ができることがとらえられることで、身の周りにある草や木を見る際にも、

また栽培で育てる植物を観察する際にも、「○○の花から○○の実ができた」といった

ことを見つける視点となるだろう。

# 4．こん虫のからだ

## 【目標】

(1) 昆虫のからだは、頭、胸、腹の部分に分けられる。

(2) 昆虫の頭には、口、目、触角などがあり、胸にはあしとはねがある。

(3) 昆虫のからだは食べ物と関係のあるつくりになっている。

## 【指導計画】　4時間（1学期に1時間　2学期に3時間）

(1) チョウの口・体のつくり ……………………… 1時間

(2) チョウ、バッタ、カマキリなどの口……… 1時間

(3) カマキリ、バッタ、チョウなどのあし…… 1時間

(4) 昆虫のからだのつくり ……………………… 1時間

## 【事前準備】

★　チョウの幼虫をキャベツや柑きつ系の葉から採取し、教室で飼育する。（「生き物を育てる」の項を参照

★　子どもたちにチョウやバッタ、カマキリを採取し、教室にもってくるよう頼んでおく。

## 【学習の展開】

### 第1時　チョウの口・からだのつくり

**ねらい　チョウは幼虫と成虫で口のつくりがちがう。**

成虫は頭・胸・腹に分かれ、頭には口、目、触角があり、胸にはあしとはねがある。

**準　備**

・チョウの幼虫と成虫　・幼虫の食草　・スポーツ飲料をしみこませた綿

・虫めがね　・小型ビデオカメラ

**展　開**

① チョウの幼虫が葉を食べているところをよく見る。ルーペで観察したり、小型ビデオカメラなどを使い、口（右図の枠内）を確認する。

② 成虫には水で薄めたスポーツ飲料をしみこませた綿を利用し、ストローのよう

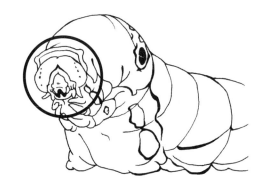

な口を使ってみつを吸う様子を確認する。幼虫と成虫の口の形の違いは食べ物と関係していることをおさえる。

③ 「成虫は、幼虫とはからだがどんなふうに違っているかな？」と質問する。成虫のからだは3つに分かれていることを確認する。また頭には触角や目や口があること、胸には6本のあしとはねがあること、腹には節があることを確認する。節があるため、腹は動くことも見れるとよい。

  幼虫にはあしがたくさんある。前の方（胸）にある3対のあしは、成虫のあしになる部分。後ろの方（腹）には4対の腹脚と少し離れて1対の尾脚がある。5対まとめて「腹のあし」とする。これらは成虫になると消える。このことを簡単に話す。

④ 「やったこと」を、それぞれ子ども自身の言葉でノートに書く。

### ノートに書いてほしいこと

　アゲハの幼虫が葉っぱを食べているところを見た。小さなあしで葉っぱをはさんで、口を動かして食べていた。アゲハの成虫にみつをあげたらストローみたいな口をのばしてすっていた。幼虫は葉っぱを食べるので歯みたいな口だけど、成虫はみつをすうのでストローみたいになっていた。成虫のからだは幼虫と全然ちがう。頭、むね、はらにわかれていた。頭には大きな目、しょっ角、ストローのような口がありました。胸には4枚のはねと6本のあしがありました。

## 第2時　チョウ、バッタ、カマキリなどの口

　ここからは観察する昆虫の種類やその時の気象条件等により、観察しやすい時期に行う。2学期になるとバッタやカマキリが大きくなり、観察しやすいことが多い。

### ねらい　食べ物によって口のつくりがちがう。

### 準　備
・チョウ、バッタ、カマキリなどを採集しておく。（採集できなかった場合は展開に使われているイラストを使う。）

### 展　開
① チョウの口はどんな口であるか話し合う。
　　ふだんは巻いているが、みつを吸うときにはのばすことなどが発表される。

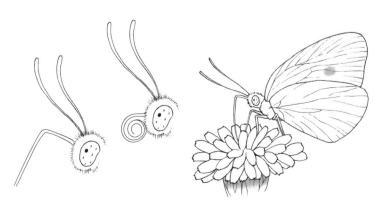

② 　カマキリやバッタの口を虫眼鏡で見て比べてみる。バッタには草をかみきる大き
　　ながんじょうな大あごがあり、カマキリにはするどいとがった口がある。

| トノサマバッタ | オオカマキリ |
|---|---|
| 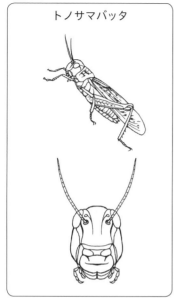 | 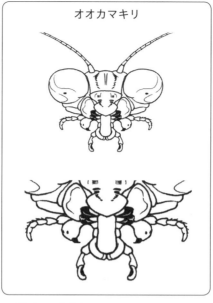 |

チョウの写真と
カマキリの動画

③ 　他のつかまえた昆虫の食べ物と口も調べる。

| カブトムシ（オス） | ハナアブ | シロスジカミキリ |
|---|---|---|
| 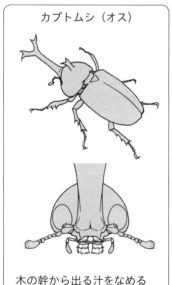 | 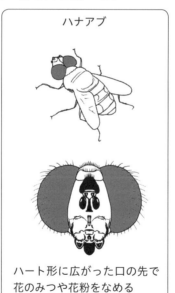 | |
| 木の幹から出る汁をなめる | ハート形に広がった口の先で花のみつや花粉をなめる | ペンチのようなあごで木をかじって食べる |

④ 　「やったこと」を、それぞれ子ども自身の言葉でノートに書く。

**ノートに書いてほしいこと**

　　チョウは花のみつを吸うためにストローのような口になっていた。カマキリはバッ
　タとかを食いちぎるような、はさみのような口になっていた。バッタは葉を切れるよ
　うな大きな口になっていた。カブトムシは……
　（というようにそれぞれの口の形と食べ物について書けるとよい）

## 第3時　カマキリやバッタなどのあし

**ねらい**　**カマキリは、あしでえものをつかまえ、バッタはあしで逃げる。**

**準　備**

・バッタ・コオロギ・チョウ・トンボ・カマキリ・カブトムシなど、事前に子どもたちに採集してきてもらうとよい。採集できない場合はそれぞれの昆虫の全体像を写真で用意しておいたり、この時間に使われている図をくばる。

**展　開**

① 昆虫には、あしが6本（3対）あることを見る。

② カマキリとバッタのあしを比べる。

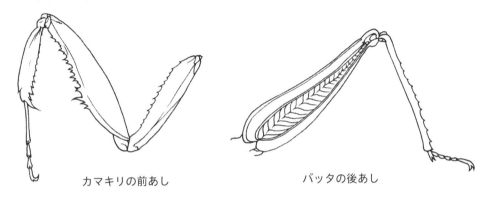

カマキリの前あし　　　　　　　　　　バッタの後あし

　カマキリは前あしが大きく、バッタは後ろあしが大きい。カマキリはえものをつかまえるためのあしで、バッタはとびはねて逃げるあしであることを話し合う。

　カマキリの目の前で糸につるしたものを動かしてみたり、バッタを外に出してとびはねさせてみたりするのもよい。

③ これらと比べて、チョウやトンボのあしをみる。

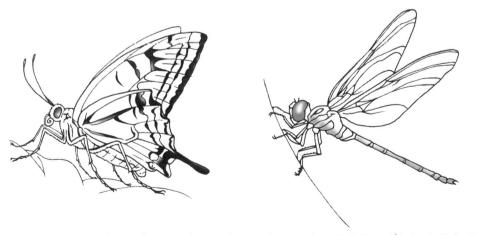

　チョウやトンボは細く弱々しいあしである。しかしチョウやトンボにはよくとぶことができる大きなはねがあることを話し合う。

④　カブトムシのあしを見る。

　カブトムシのあしを見ると、とげのようなものがたくさんついていて、手で触ると痛い。捕まえた経験のある子は、木にあしを引っかけるようにして、木からなかなか引き離せないことなども話として出るだろう。木にのぼるためであることや、木にあしをひっかけた状態で樹液をなめることなどを話し合う。

⑤　「やったこと」を、それぞれの子ども自身の言葉でノートに書く。

┌─ **ノートに書いてほしいこと** ─────────────────────┐

　カマキリは前あしが大きい。前あしでバッタをつかまえて、食べるから。バッタは後あしが大きい。とんでにげるから。チョウやトンボはあしが小さいけど、とぶはねが大きい。カブトムシは小さなとげがいっぱいあった。木に引っかけて樹液をなめる。
（など、それぞれの昆虫のあしの特徴が書かれるとよい。）

└────────────────────────────────────────────┘

## 第４時　昆虫のからだのつくり

**ねらい**　昆虫のからだは、頭、胸、腹に分かれ、頭には口、目、触角があり、胸にはあしとはねがある。

**準　備**
・カマキリ　・バッタ　・コオロギ　・チョウ（昆虫）
・ダンゴムシ　・クモ（昆虫以外の虫）

**展　開**
①　「バッタのからだを３つのところに分けると、どことどことどこか」と質問する。
　　頭、胸、腹に分けられることをとらえる。その後に頭には口と目と触角があり、目と触角はえさを見つけたり、敵が近づいたことを知るのに使われることを話し合う。
　　次に胸にはあしとはねがあり、とびはねたり、とんだりする。だから胸はかたいつくりになっていることをおさえる。
②　１学期に学習したチョウやカマキリ、コオロギなどのからだのつくりも、バッタと同じようなつくりになっていることを見る。そしてこのようなからだのつくりに

なっている動物を昆虫ということを教える。

　ダンゴムシやクモなどの昆虫以外の虫は、そうなっていないことも見る。

③　「やったこと」を、それぞれの子ども自身の言葉でノートに書く。

### ノートに書いてほしいこと

　バッタのからだは頭、胸、腹でできていました。頭には口と目としょっ角があって、口はエサを食べ、目としょっ角はエサを見つけたりする。胸には6本のあしがついていた。チョウやカマキリも同じようになっていた。こういうのをこん虫という。ダンゴムシは頭胸腹にわかれていないので、こん虫ではない。

④　これからも、いろいろな昆虫や昆虫以外の虫を見つけて、動くようすや食べる様子を見てみようと呼びかける。

### この学習を終えた子どもたち

　この学習も生き物を教室に持ちこませ、観察カード「しぜんのたより（⇨ p.45 参照)」に書かせたり、朝の会のスピーチ等で発表させたりするとよい。

### 観察カードの例①　●食べることについて

　カナヘビがバッタとクモを食べました。頭から食べていました。食べられているクモとかバッタは、食べられている間もまだあしとかを動かしていました。カナヘビはかみくだくっていうより、丸のみした感じでした。

### 観察カードの例②　●移動のあしについて

　オケラをみつけました。ザリガニみたいに前あしで土をほっていました。手で持っていると土をほるみたいにしてくるので痛いです。あしに何本かくらいとげがありました。前あしのはりみたいなのが4本ありました。それでカニみたいな感じです。食べ物はにんじんとかにぼしとか、ミミズとかだそうです。今あげています。

### 朝の会のスピーチ例　●頭・胸・はらに分かれていることについての構造

発表者：きのう登校中にカミキリムシを見つけました。虫取り網で捕まえました。学校に持ってきたら、Ｈさんが大豆をカミキリムシが食べるって言っていたから、えさばこををつくりました。そしたらたねのままだと食べませんでした。あしにふさふさみたいなのがあって、それでむしかごのあみにひっかけて歩いていました。

質問：どうやって歩いていた？

発表者：ゆっくり歩いていた。あしの棒みたいな肉球みたいなのでひっかけていて、それが6個くらいある。

質問：あしは何本？

発表者：6本

子どもたち：ということは昆虫だ。頭、胸、腹に分かれている？

発表者：分かれています。

質問：カブトムシみたいに、はねひらくときみたいなカバーはある？

発表者：わからない。

質問：口みたいなのはある？

発表者：ある。なんかはさみみたいな、牙<sup>きば</sup>みたいな形をしている。

質問：目はある？

発表者：ある。黒い目。

質問：口の中に歯がある？

発表者：見えない。中の方は。外には牙みたいなのがあるけど。

質問：口とか目は頭にあるよね？

発表者：あります。

質問：カミキリムシの口、アリとかの口と比べて違いがありますか？

発表者：あります。

## 単元のまとめ 食べ物と関係のあるからだのつくりを学ぼう

　どの教科書でも「チョウを育てよう」の学習のなかで、「チョウの成虫のからだのつくり」を扱い、「チョウの成虫のからだは、頭、胸、腹からできていて、あしが6本あります。このようななかまを、こん虫といいます」と書いている。そして「こん虫のなかまをさがそう」で、バッタやトンボ、カブトムシなどのからだのつくりを、チョウと同じように頭・胸・腹に分かれていることや、あしが6本あることをとらえさせる。

　からだのつくりを「頭・胸・腹」と機械的に覚えるような学習ではなく、例えばバッタは植物食で、カマキリは動物食で、それにかなったからだのつくりになっているという事実に気づかせたい。

　カマキリは動物食の口で食べ、前向きについた大きな目によってからだを動かさず、周囲の環境にとけ込んで獲物を探しながら待ちかまえる。左右によく動く頭、そして獲物をとらえる大きな前あし。バッタは草を食べる口、カマキリやカエルなどに食べられないようにぱっとはねて逃げる大きな後ろあし、さらに遠くに逃げることのできるはね、頭の横についた目によって周囲の様子を伺い、植物食の口をもつ。こうした違いが食べ物と関係していることがわかるようにしたい。また、わたしたちの身近にいる動物の1つが昆虫である。それをとりたてて、昆虫類として見ようとしているのだから、身近にいる昆虫以外の虫（クモやムカデなど）と比較するほうがその特徴がはっきりする。そしてこの学習は自然観察で動物を見る視点を与えることにもなる。

# 5．太陽とかげ　方位

## 【目標】

(1) 南中した時の太陽の位置から、方位を決めることができる。

(2) 方位磁針を使って方位をとらえることができる。

## 【指導計画】　3時間

(1) 太陽の光で影ができ、どちらも1日の間に移動する。…… 1時間

(2) 正午の太陽の位置から、東西南北がわかる。……………… 1時間

(3) 方位磁針を使っても、東西南北がわかる。………………… 1時間

## 【事前準備】

★　この単元に入る直前の体育の時間に、準備体操を兼ねて影踏み遊びをする。鬼から逃げるために校舎の影に入るなどするが、そうした経験が日光をさえぎって自分の影はできないこと、日光によって影ができることを体感する。

★　方位磁針は理科室の棚の引き出しなどにしまってあることが多い。強力磁石の近くなどは避け、平らに並べておくのがいいが、いざ使おうとすると南北を違って指していることもある。

　こうした方位磁針がないかどうか点検し、おかしくなっているものは直しておく必要がある。

方位磁針の直し方動画（教師向け）

(1)　棒磁石のN極でもS極でもいいが、図にしたがうと、N極を方位磁針に近づける。

(2)　すると、方位磁針の本来北を指しているはずのN極が引き寄せられる。

(3)　引き寄せたまま、棒磁石を、方位磁針の上を滑らせるように反対側に移動する。

(4)　棒磁石を方位磁針から離せば、方位磁針のN極は正しく北を指す。方位磁針の上を滑らせるのは、何回もやらないで1回だけにする。

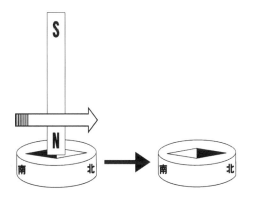

## 学習の展開

### 第1時　太陽とかげの動き

**ねらい**　太陽の光で影ができ、どちらも１日の間に移動する。

**準 備**
・体育用のコーンなど（グループに１つ）　・遮光板（グループに１つ）
・工作用紙（１人に６cm×10cmと工作用紙の１／２を１枚ずつ）
・はさみ　・定規　・目打ち
・スティックのり

**展 開**

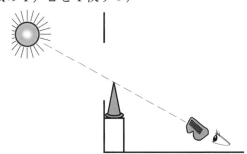

①　晴天の日の朝、教室の窓際の棚（なければ長机を置いて）の上に、グループの数のコーンを置く。コーンの影を示して、「この影はどうしてできたの？」と聞く。

　　影踏みなどの経験から、「お日様の光が当たったから」と答えるだろう。グループごとにそれぞれ順番に、コーンの頂点の影の位置に目を置き（床に這いつくばって）、遮光板を使ってコーンの頂点方向を見ると、その向こうに太陽が確認できる。

②　「右手をあげてごらん」と指示する。子どもたちに向いている教師の右手は相対的に反対側の手を上げているように見える。「あれ？先生の右手はプール側だけど、みんなの右手は体育館のほうだね」などと目印を話す。

③　左手についても同じようにやる。前と後ろについても簡単にふれる。「だって、先生はぼくたちと反対に向いているんだもの」と気がつく子がいる。そこで回れ右をすると、教師と前後左右が同じになる。「"前後左右"は自分にくっついていて、向きを変えるとその方向は変わること」を確かめる。

④　コーンや、窓枠の影は向きを変えてもその方向は変わらないことを確かめる。

⑤　大小の工作用紙をくばり、図のように影調べ器を作る。

**影調べ器の作り方**

❶６cm×10cmの工作用紙の、左右の三形部分を切り落とし、縦の中心線の下１cmに切り込みを入れる。

切る

線に傷をつける

切り込み

❷定規を当て、縦の中心線と下から１cmの横線を、目打ちで２〜３回なぞって傷をつける。

折りまげる

❸傷つけた部分を図のように折り曲げて三角柱を作る。

❹ 1／2の工作用紙の片側寄りの、端から5cm離した中心線上に、スティックのりで三角柱を貼りつける。

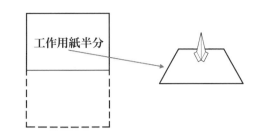

工作用紙半分

⑥　工作が終わったところで全員の影調べ器を窓際の棚の上に並べ、「いま9時から帰りまで、1時間ごとに同じ場所で三角の柱の影を記録しなさい」と話す。人数が多い場合は、南側に窓のある大きな部屋を借りておく。

　　各時刻の影の先端に印をつけ、そこと三角柱の中央1番下の部分を線で結ばせる。また、影の先端部分に時刻を書き入れる。

⑦　影の記録を見ながら、1日の間に影が動く、つまり太陽が動くことを確認する。教科書の絵を見せながら、日時計の話をする。

⑧　「やったこと」を、それぞれの子ども自身の言葉でノートに書く。

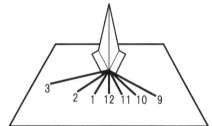

3　2　1　12　11　10　9

**ノートに書いてほしいこと**

　コーンのかげのてっぺんから、しゃ光板でコーンのてっぺんを見たら太陽があった。太陽の光でコーンのかげができていた。コーンのかげを1時間ごとに見たら、どんどん動いていた。太陽もどんどん動く。

## 第2時　方位

**ねらい**　**正午の太陽の位置から、東西南北がわかる。**

**準　備**

・等旗の棒　・ラインカー
・影調べ器　・方位板

正午の棒の影

**展　開**

①　次の晴天の日の正午に、校庭に何本か等旗の棒を立て、ラインカーで棒の影を延ばした南北線を引く。場所が違っていても、棒の影の向きはどれも同じであることを話して、確かめさせる。

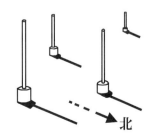

北

② 子どもたちを並べてその影の向きを見ても、同じであることを確かめる。ここで、棒の影も子どもたちの影も、太陽と反対にできていることを確認する。

③ 現在は正午であることを伝え、前回の影調べ器を見ると、1日のなかで、影の長さがもっとも短くなった時、つまり太陽の高度がもっとも高くなった時であることを確認する。そして、この時太陽は真南にある（南中）ということを教える。

　子どもたちを、自分たちの影の方を向いたままの状態にする。するとこのとき（正午）の太陽のある方位は南なので、子どもたちが向いている影は北方向にできていることがわかる。そのまま影調べ器を、正午の影方向を実際の影方向と合わせる。記入してある時刻から影は左から右方向に移動しているが、太陽は影と反対方向にあるので右から左に動いていることになる。そこから、右手方向は太陽の昇ってきた東であり、左手方向は太陽の沈んでいく西であることを確認する。

④ 子どもたちを校庭の1カ所に集め、東西南北にあるものを見つけさせる。なかにはそのどこにも属さないものが出てくるので方位板を渡し、南東、北東、南西、北西も加えた「八方位」も教える。

※ 家庭学習として、家の庭やベランダなどの、木や棒などの影で南北線を確認させると、場所が違ってもいつも同じ方向を向いていることが、より実感できる。

⑤ 教室に戻り、校庭の南北線を見下ろすと、どれも同じ方向を向いていることがわかる。

　影調べ器にも赤鉛筆で12時の線の上から南北線を引き、その方向とも一致することを確認する。

⑥ 「やったこと」を、それぞれの子ども自身の言葉でノートに書く。

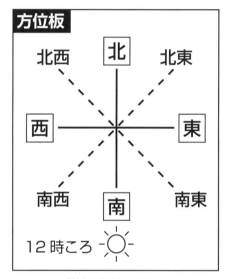

厚紙に印刷しておく

**ノートに書いてほしいこと**

　棒のかげもみんなのかげも、太陽と反対の方にできていた。かげ調べ器の1時間ごとのかげを見たら、お昼の12時がいちばん短かった。このとき太陽は南の空にあって、このことを南中という。南中のとき太陽を背中にすると、かげのある方が北、右手の方が東、左手の方が西になることがわかった。みんなのかげも、木のかげも、鉄棒のかげも、みんな北の方を向いていた。

## 第3時　方位磁針で方位を知る

**ねらい**　**方位磁針を使っても、東西南北がわかる**

**準　備**

・方位磁針　・影調べ器

**展　開**

① 　方位磁針を各自に持たせ、文字盤を無視して、針が示している方位が南北であることを教える。この向きが、前回影調べ器に引いた南北線の向きとも一致することを確かめる。

② 　針の向きに文字盤の南北をあわせ、影調べ器の記録も見ながら東西を確かめる。

③ 　屋上に出て、各自方位磁針を使って見える公園や建物などの方位を調べ、学区域の地図に書き込んでいく。

④ 　夜は北極星を見て北がどの方位か決められることなども、つけ加えて話す。

⑤ 　「やったこと」を、それぞれの子ども自身の言葉でノートに書く。

> **子どものノート例**
>
> 棒のかげで調べた南北と、方位じ針の針が同じ方向を向いていた。方位じ針の針は、北と南を指していた。針の向きに方位じ針の字を合わせると、やっぱり北を向いたときに右が東、左が西になった。

**単元のまとめ**

# 南中時の太陽の位置から方位がわかる学習を！

どの教科書も、太陽と影の動きを関連づけて方位を取り上げている。しかし、いずれも方位磁針によって方位を決定している。たしかに、太陽の見えないときでも方位のわかる方位磁針は便利であるし、使い方は学んでおいたほうがよい。しかし人類は天体観測から方位の概念を獲得してきたし、太陽と時刻さえわかれば、日本のどこにいても方位がわかるようになってほしい。

そこで、単に方位磁針の指す方向を確認して方位の学習を終わらせるのではなく、小学校における最初の天体学習として位置づけたい。子どもたちにとって、もっとも身近な天体は太陽である。その太陽の見かけの動きを学習することで方位を学ばせたい。

ただし、太陽は、子どもたちにとってもっとも身近な天体であるとはいっても、その動きをきちんと理解している子は少ない。特に現在は日の出や日の入りを眺めることもまれになってきている。そこで、1日の太陽の見かけの動きと棒の影の長さをしっかり観察させたい。

太陽は、正午には南の空高く（南中）にある。そこから北、東、西が確定する。3年での方位の学習はあとの学年の学習にとっても、たいへん有効な学習内容である。4年の「月や星の見え方と動き」の学習、5年の「日本の天気は西から東に動いてくる」、6年の「地球の自転の方向」などを学習するときの基本的な知識となるのである。

　なお、ここでは「正午の時の影の方向が北である」と、北から教える。これは、地図では北が上なので、社会科の学習に合わせるためである。方位の学習は地図を見るときにも大いに有効となる。したがって、社会科で地域を巡る学習の前に、この方位を学習しておきたい。

　方位磁針については、曇っていたり室内にいたりして太陽が見えないときなど、方位は方位磁針によっても確認できる、というふうにつけ足しとして扱う。


※　日本における正午は、兵庫県明石市の太陽の南中時刻を基準に決めたものである。したがって、全
　　国各地それぞれの土地での正確な南中時刻とは多少ずれがある。しかし南北線を引くうえでは、その
　　ずれは無視できる範囲であるので、正午の時報の時の棒の影を使って、それぞれの土地の南北線を決
　　めることができる。

# ６．日なたと日かげ　物の温度

## 【目標】

(1) 物には温かさ、冷たさがあり、それは皮膚で感じることができる。

(2) 物の温かさ、冷たさの違いは温度計の液柱の高さの違いでわかる。

　　・物の温かさ、冷たさの度合いを表したものが「温度」である。

(3) 物の温度は、温度計を使うと正しく知ることができる。

(4) 温度計でいろいろな物の温度やその変化を調べることができる。

　　・温度計の正しい使い方を知って、使うことに慣れる。

## 【指導計画】　４時間

(1) 物の温かさ、冷たさ ……………………… ２時間

　　・物の温かさ、冷たさを皮膚で調べる。

　　・物の温かさ、冷たさを温度計で調べる。

(2) 温度計の使い方 …………………………… １時間

(3) いろいろな物の温度を調べる。 ………… １時間

## 【事前準備】

★　この学習に入る前に、温度計の示度（計器が示す値）をそろえておく必要がある。
　温度計の誤差は±１℃なので、場合によっては２℃も違ってしまう。

　　そこで使用する前日に水を張ったバケツに多数の温度計を１晩つけておき、同じ
　示度のものだけを使用する。

## 学習の展開

### 第１・２時　いくつかの水の温度を調べる

**ねらい**　物の温度は皮膚で温かさや冷たさがわかる。
　　　　　物の温度を正確に知るには温度計で調べる。

**準備**

・40℃くらいの水

・氷を入れた水　・水道水　・プラスチック水槽（各班３個）

・棒温度計（各班３本）

① 温度のちがう3種類の水の温かさ、冷たさを、指を入れて比べ、温かい順を調べる。

② 40℃くらいの水と氷が入った水に両手を片方ずつ同時に入れて、10秒後に両手を水道水に入れてそれぞれの手の感じを比べる。

湯　　水道水　　氷水

③ 物の温かさ、冷たさを正確に知る方法を考え、温度計について知る。

・「手では物の温かさ、冷たさが正確に表せない。正確に調べる方法はないかな？」と問う。「温度計！」という声が出ない場合は温度計を教える。

・②と同じ方法を、温度計を使って実験する。水道水に入れた2本の温度計の液柱が、同じ目盛りを指していることに気づく。このことで、温度計を使うと正確にその物のそのときの温度を示すことを知る。

湯　　水道水　　氷水

④ 「やったこと」を、それぞれの子ども自身の言葉でノートに書く。

**ノートに書いてほしいこと**

　ぼくは最初、人差し指を氷水、お湯、水道水に入れた。あたたかい順は、お湯、水道水、氷水だと思った。つぎに、両手をお湯と氷水に入れてから水道水に入れたら、お湯に入れた方の手はつめたくなって、氷水に入れた方の手はあたたかくなった。温度計で計ると、氷水は〇度、お湯は△度、水道水は◇度だった。手ではいい加減になってしまうけれど、温度計では正確に温度を計ることができる。

## 第3時　温度計の使い方・温度の読み方

**ねらい**　温度計の使い方を知る。温度計の使い方に慣れる。

**準　備**

・棒温度計（人数分）　・プラスチック水槽　・目盛り読み練習表

**展　開**

① 温度計を使うと、物の温かさ、冷たさがどれくらいか、（そのものの温度は何度か）、ほかの物の温度とどれだけちがうかを知ることができることを、前時の3つの水の温度を例にして確認する。

② 温度計を使って水道水、教室の空気などの温度を計る。

・水道水の温度を計りながら次のような温度計の使い方を教える。

　ア　温度計は物の温度を計るものであるから、物の中に温度計を差し込んで温度を計る。

　イ　温度計の液柱がある高さで止まったときの高さが、その物の温度であるから、液が止まったときに目盛りを読む。「℃」と表すことを教える。

　ウ　目盛りを読むときは、視線と温度計が直角になる目の位置で読むこと。

　　　また、球部を手で持ったり、球部に息がかかったりすると正確な物の温度が計れないので、注意する。

③　温度計の目盛りの読み方を練習する。

・練習用紙を使って、温度計の目盛りを読む。

　ア　0を境にして上下の方向に読む。

　イ　液柱の頭が目盛りにぴったり重なる場合の温度

　ウ　液柱の頭が目盛りと目盛りの間にある場合の温度（目盛りに近い方にする）

　エ　0℃の読み方

　オ　0℃以下の温度

　カ　教師が指定する温度の液柱を描かせる。

**目盛り読み練習の例**

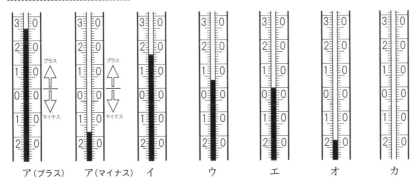

ア（プラス）　ア（マイナス）　イ　ウ　エ　オ　カ

④　細かい氷をビーカーに入れ、それに食塩をまぜて0℃以下の温度になることを演示実験で見せる。液体の水があると温度が下がらないので注意する。

⑤　「やったこと」を、それぞれの子ども自身の言葉でノートに書く。

**ノートに書いてほしいこと**

　温度計で何度か見るときは、赤い線が止まったときに温度計と直角になるようにする。温度には、0℃より低いマイナスがあることを知った。

## 第4時　いろいろな物の温度を計る

**ねらい**　温度計を使っていろいろな物の温度を計る。

温度計の使い方に習熟する。

**準　備**

・棒温度計（人数分）・温度計の覆い（人数分：工作用紙を細長く切り、屋根型に折り曲げた物など）

**展　開**

①　いろいろな物の温度を計らせる。必ず、「何」の温度を計るのかを意識させる。物の温度を計るときは、温度を計る物の中に温度計の球部を入れることをおさえる。日なたの地面の温度を計るには表面でなく、温度計の球部を土の中に入れて計ることを指示する。

｜ 作業課題の例 ｜

・ねん土の温度を計る。

・水道の水の温度を計る。

・プールの水の温度を計る。

・砂場の表面と、10cm くらい深いところの砂の温度を計って比べよう。

・日なたと日かげの地面の温度を計る。

・日なたと日かげの空気の温度を計る。日なたの空気の温度を計るときは球部を何かで覆い、日かげをつくって計ることを話す。

・教室や廊下の空気の温度を計る。

②　「やったこと」を、それぞれの子ども自身の言葉でノートに書く。

**ノートに書いてほしいこと**

いろいろな物の温度を、温度計で計った。日なたと日かげの地面の温度は、日なたの方が高く、日なたが 0℃、日かげが△℃だった。水道の水の温度は◇℃だった。教室の空気の温度は▽℃だった。

**単元のまとめ**

## 温度の意味を知り、温度計をを使いこなす学習を！

物の温かさ、冷たさは感覚に左右されやすいことがある。そこで、感覚的にとらえていた物の温かさや冷たさを、数量で表せることを知り、物の温度を計れる学習をする。3年生は、物を探ることにとても興味を示す学年である。温度を計る道具を知り、それを使いこなせるようになることは、3年生にとって楽しい学習の1つである。

# 7．光集め

## 【目標】

(1) 光がないと物が見えない。

(2) 鏡を使えば、後ろや物の向こう側にある物を見ることができる。

(3) 鏡を使えば、目的の場所に光を当てることができる。

(4) 数枚の鏡を使えば、光を集めて物の温度を上げることができる。

(5) 虫めがねを使うと、日光を集めて紙をこがすことができる。

(6) 虫めがねで、景色を映すことができる。

## 【指導計画】 7時間

(1) 真っ暗な部屋に入ってみよう ……………………… 1時間

(2) 鏡で、横や後ろにある物を見てみよう ………… 1時間

(3) 光当て遊びをしよう ………………………………… 1時間

(4) 鏡で光を集めてみよう ……………………………… 1時間

(5) 虫めがねで光を集め、紙をこがしてみよう …… 1時間

(6) 虫めがねカメラを作って遊ぼう ………………… 2時間

## 【事前準備】

★ 第6・7時の工作用に、早い段階からおたよりなどで保護者に、あるいは用務主事さんなどにお願いして、トイレットペーパーの芯を集めておく。広く呼びかけて集めておくと、径の違うものもあり、工作が簡単になる場合がある。

★ 第1時の前に、暗くなる部屋（写真用暗室、放送用スタジオ、階段下の倉庫など）、なければ理科準備室などの窓をアルミホイルなどでふさいでおく。アルミホイルとアルミホイルのつなぎ目や、ドアのすき間もアルミホイルでふさいでおく。

すき間をふさぎ終わったら、必ず真っ暗闇になるかどうか調べておく。スイッチを切っても部屋の照明器具が薄ぼんやりと光っている場合はその器具は使わず、子どもたちを連れて行く前に別の照明器具を持ち込んでつけておく。

## 【授業展開】

### 第1時　真っ暗な部屋に入ってみよう

**ねらい**　光がないと何にも見えないということを実感する。
人間も壁も、光をはね返していることを知る。

**準 備**

・小型ライトなど光源になるもの　・鏡（四角形、丸形）
・段ボール箱（中に人形かチョーク、ボールペンなど手に持てる物）

**展 開**

① 教室で「夜、布団をかぶって、部屋の電気を消して真っ暗にして目を開けてじ〜っとしていたことある？」などと聞いた後、「これから真っ暗な部屋の中に入ります。明かりを消したままで、先生が手に何を持っているか見えるだろうか。」と問う。

② 予想は次の３つに分かれるだろう。理由が言える子には発表させる。

　（ア）少しは見える。　　（イ）まったく見えない。　　（ウ）よくわからない。

③ 暗室に移動する。狭い暗室では、何回かに分けてやる。白さを際立たせる洗剤で洗った上履きの場合、含まれている蛍光剤の影響でうっすらと見える場合があるので、全員上履きは脱いで入る。

④ ドアを閉め、子どもたちを座らせた後、何も言わずに電気のスイッチを切る。隣の友人の顔も、壁や床や天井も、自分の手さえ見えないことが確認できるだろう。教師が段ボール箱から適当な物を取り出して「これ、なあ〜んだ？」と聞いてもまったく見えないので、何かわからない。

⑤ ころあいを見て、小さなペンライトを点灯すると、部屋全体がうっすらと見える。手に持っていた物の正体もわかる。要所要所で、何度も光が消えるようにすると、光源の意味が実感できるだろう。

⑥ 「物が見えるには、何が必要なの？」などと聞いてみる。「光！」との声があれば、この実験は大成功。

⑦ 子どもたちを部屋の中で円形に並ばせ、壁側に向かせる。その中央に教師が立って、発問する。

「真っ暗な部屋の中で先生が明かりをつけます。みんなは、背中を向けています。明かりをつけたら自分の手は、すぐに見えるだろうか」。

⑧ 簡単に意見を聞いた後、真っ暗にした部屋の真中あたりで、ポケットライトを点灯させる。とたんに部屋中が、薄明るくなり、手も周りも見える。

⑨ ⑧の子どもの意見では、「壁に光がはね返って」とか、よく知っている子からは「反射」などの言葉が出てくる。もちろん、子どもたちの使う言葉としては「光をはね返す」で十分。その言葉につなげて、鏡にポケットライトの光を反射させる。反射光は鏡の形そのままに、四角形や円形の光として天井や壁に映る。

⑩ 「やったこと」を、それぞれの子ども自身の言葉でノートに書く。

　放送室のスタジオに入った。電気を消すと、目をあけているのに、真っ暗で自分の手も見えなかった。先生が手に人形を持っていたのに、何も見えなかった。先生が小さなライトをつけると、みんなの姿が見えた。光がなくて、真っ暗だと何も見えないことがわかった。

## 第2時　鏡で、横や後ろにある物を見てみよう

**ねらい**　鏡を使うと、直接見えない物も見ることができる。

**準　備**

・鏡（1人1枚）

**展　開**

① 「教室の明かりを消して、自分の顔を鏡で見る。窓を向いたときと廊下を向いたときとではどちらが見やすいだろうか。」

　見たい物に光が当たったときに、物が見やすいことに気づく。

② 1枚の鏡で、机の横の人、後ろの人などを見てみよう。

　生活の中で使われている鏡（カーブミラー、バックミラーなど）の話をする。

③ 自分の頭の後ろを見ることができるだろうか。

　鏡1枚で見ても、どうしても見えないところがある。鏡を2枚にしてみよう（隣の子と組む）。床屋や美容院の鏡の話をする。

④ 「やったこと」を、それぞれの子ども自身の言葉でノートに書く。

**ノートに書いてほしいこと**

　自分の顔を鏡で、窓を向いたときとろうかを向いたときの両方を比べてみた。窓を見たときの方が、顔が明るくて見やすかった。頭の後ろはどうやっても見えなかったけど、2枚の鏡を使うと簡単にできた。

## 第3時　光当て遊びをしよう

**ねらい**　鏡を使って、目的の場所に光を当てたりして遊ぶ。

**準　備**

・鏡（1人1枚）　・カラーセロハン　・はさみ　・セロハンテープ

**展　開**

① 「鏡で太陽の光をはね返して、的当て
　をやろう」と呼びかける。自分の当て
　ている光が区別できるようにするため、
　カラーセロハンで模様を切ったりして、
　鏡に貼る。簡単な模様でよい。

② 体育館の壁などを的にしてねらい、
　的当てごっこをやる。

　　最初は、校庭に鏡を置いて、的方向
　に向ける。すると自分の鏡の反射光が、
　地面に光の道となってまっすぐ光が伸
　び、光がまっすぐに進むことがわかる。

　　次に鏡の反射光を地面に当てながら、
　徐々に壁の方に移動させて、的である
　壁をねらう「光の的当て」。人や、校舎
　などには向けないように注意する。

　　「光の鬼ごっこ」や「光のリレー」な
　ど、工夫した遊びをやっても楽しい。

　　「光の鬼ごっこ」は、グループに分
　けて行う。誰か1人が鬼となり、グル
　ープの子の壁上の反射光を追いかける。
　鬼の反射光が重なったら、鬼を変わる。

　　「光のリレー」は、建物の陰に的を置
　き、図のようにいくつかの鏡で光をリ
　レーして的に当てる。鏡を手に持って
　いると難しいので校庭に置き、光の道
　を利用するとやりやすい。

③ 「やったこと」を、それぞれの子ども
　自身の言葉でノートに書く。

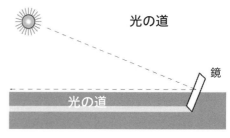

光の道

光の道

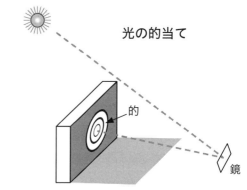

光の的当て

的

鏡

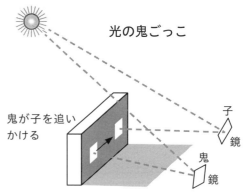

光の鬼ごっこ

鬼が子を追い
かける

子
鏡

鬼
鏡

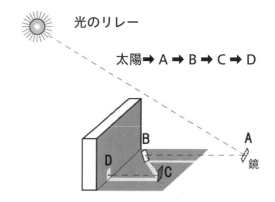

光のリレー

太陽➡A➡B➡C➡D

B
D
C
A
鏡

## 第4時 鏡で光を集めてみよう

**ねらい** 光を集めると、物の温度を上げることができる。

物の色によって、あたたまり方が違う。

**準 備**

・鏡 ・温度計 ・段ボール紙 ・黒い画用紙を貼った段ボール紙
・白い画用紙を貼った段ボール紙 ・養生テープ

**展 開**

① 体育館の、日が当たっていない扉か外の柱などに段ボール紙をテープで留め、「段ボール紙に、鏡ではね返した日光を集めてみよう。」と呼びかけ、1人、2人、…と人数を増やしていく。光が重なるごとに、段ボール面が明るくなる。グループ全員の反射光を段ボール紙に当ててしばらくたったころ、「光を段ボール紙に集めたけど、段ボール紙の温度はどうなっているだろう」と、かわりばんこに手で触って確かめてみる。温かくなっている。

② 「段ボール紙の温度が本当に高くなっているかどうか、確かめるためにはどうしたらよいだろうか。」と問う。

「温度計を使う」という考えが出されるだろう。そこで、段ボール紙に温度計を差し込んだものを見せ、それを体育館の扉なりにテープで留める。

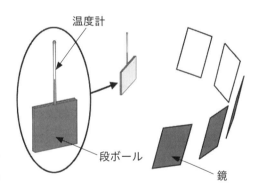

温度計

段ボール

鏡

グループ内で1人、温度計の目盛を読む係を選び、そのほかの子は図のように段ボール紙を囲うように並んで、鏡で反射光を段ボール紙に当てる。段ボール紙の温度は、どんどん上昇する。

子どもたちが並んでいる形から、オリンピックのときに凹面鏡で太陽光を集め採火する聖火の話（「聖火採火式」）や、ソーラークッカーの話をする。

温度計

③ 温度計を差した段ボール紙に黒い画用紙を貼ったものと、白い画用紙を貼ったものを見せ、「黒い方と白い方に、

それぞれ（例えば）3枚ずつの鏡で太陽の光を反射させて当てる。温まり方に違いはあるだろうか」と問う。

④　簡単に考えを聞いた後、すぐに実験する。

温度を読む子を交代し、体育館の扉なりに貼った黒と白の段ボール紙に光を当てる。同じ時間で比べてみると、黒い方が高い温度を示す。夏服と冬服の話をする。

⑤　「やったこと」を、それぞれの子ども自身の言葉でノートに書く。

**ノートに書いてほしいこと**

鏡をみんなで半分の丸い形に並べて、段ボール紙に日光を集めた。温度は〇℃から△℃にまで上がった。つぎに、段ボール紙に黒い画用紙をはったものと、白い画用紙をはったものに、みんなの鏡で日光を当てた。黒い方は◇℃、白い方は▽℃だった。白い色は光を反射するからで、夏服は白っぽい。黒い方は光を吸収するからで、冬服は黒っぽい。

## 第5時　虫めがねで光を集め、紙をこがしてみよう

**ねらい**　虫めがねは光を集める道具として使うことができ、太陽の光を集めて紙をこがすこともできる。

**準　備**
・虫めがね（1人1個、教師用に大きいもの1個）
・黒い紙と白い紙（1人1枚ずつ。新聞紙でも可）・水の入ったバケツ

**展　開**

①　「虫めがねで直接太陽を見てはいけない」と話した後、「虫めがねの表面を指で触ってみよう。」と呼びかける。

ふくらんでいることがわかる。「このような形を凸レンズという。虫めがね（凸レンズ）には、どんなはたらきがあるかな？」と聞く。自然観察で虫めがねを使っているので、「物を大きく映す」と答えるだろう。

ここで校庭の水飲み場近くに移動し、「もう1つ、"光を集める"というはたらきもあるよ」と、バインダーか何かに光を集めてみせる。

②　「紙に日光を集めてみよう。小さな円に集めることができれば、紙を焦がすこともできる。黒い紙と白い紙では、どちらのほうが早く焦がすことができるか」と問う。前時の学習を思い出したら、紙を焦がしてみる。水飲み場の近くではあるが、万

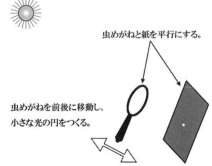

虫めがねと紙を平行にする。

虫めがねを前後に移動し、小さな光の円をつくる。

が一を考えて水を入れたバケツを用意しておく。

・紙とレンズを平行にして、小さな円をつくる。斜めになると、おたまじゃくし型になってしまう。

・虫めがねで太陽を見ないよう、注意する。

③ 演示実験で、径の大きい凸レンズで光を集めて紙を焦がすことも示す。あっという間に煙が出てくる。子どもたちの虫めがねよりも径が大きい分、より多くの日光を集めたからだ。

つけたしで、「窓際に置いたペットボトル」や「日当たりのいい場所に置いた、丸い金魚鉢」が日光を集めて起きた火事の話をする。

④ 「やったこと」を、それぞれの子ども自身の言葉でノートに書く。

**ノートに書いてほしいこと**

虫めがねで日光を集め、白い紙と黒い紙に小さな円ができるように当てた。黒い紙の方が、あっという間にけむりが出てこげた。黒い方が光を吸収するからだと思った。でも、先生の大きな虫めがねは、もっと早くこげた。大きい分、光をいっぱい集められるからだ。

## 第6・7時　虫めがねカメラを作って遊ぼう

**ねらい**　虫めがねには、景色を映すはたらきがあることを知り、それを利用した道具を作ることができる。

**準　備**

・虫めがね（1人1つ）　・白い紙（1人1枚）

・トイレットペーパーの芯（1人2本）　・はさみ　・セロハンテープ

・布ガムテープ（通常は幅5cm。手で簡単に引き裂けるので、縦半分×芯の円周よりやや長め（例えば、2.5cm×16cm）にする）

・薬包紙かトレーシングペーパー（白いレジ袋だときれいに工作できるが、海洋汚染問題を受けて使用しないことにする）

**展　開**

① 「虫めがねで蛍光灯（現在は直管形LEDランプが多いだろうが、同じ結果を得られる）の光を集めると、どんな形になるか」を問う。前時の小さな円は太陽の形なのだが、ほとんどの子が、「点になる」と答える。蛍光灯の下に行き、白い紙に虫めがねで光を集めてみると点にはならず、細長い蛍光灯の形に映る。

② 「こんどは窓の外の光を虫めがねで集めてみよう。どんな形に映るかな」と聞いてから、白い紙に映してみる。外の景色が、逆さにはなるもののそのまま映る。よく

晴れた日に、教室の明かりを消して行うとよい。「カラーだ！」などの声も上がるだろう。

③　虫めがねカメラを作る（次ページ）。トイレットペーパーの芯も、径が大きいものと小さいものが集まっていれば、大きい方を外筒、小さい方を内筒にする。ここでは、径の同じものが集まった場合で説明する。

④　作った虫めがねカメラで遊ぶ。

⑤　「やったこと」を、それぞれの子ども自身の言葉でノートに書く。

**ノートに書いてほしいこと**

虫めがねでけい光灯の光を集めると、点になると思った。でも実験してみると、けい光灯の形になってびっくりした。窓の外の景色も虫めがねで光を集めると、カラーで逆さまに映った。虫めがねとトイレットペーパーのしんで、虫めがねカメラを作った。のぞいてみたら、これも窓の外の景色が逆さまにきれいに映った。

**単元のまとめ**

## いろいろな楽しい活動をとおして光の性質を学ぼう！

　私たちは普段、光の中で生活しているといえる。ところが、光は身近にありふれていて、しかも都会の生活では真っ暗闇はまれだから光があることさえ忘れがちである。

　しかし、光がなければ物は見えない。まず、そのことを実感させたい。また、物は光によって見えるということこそ、光の性質を知るうえで大切な事実を含んでいる。光が物にぶつかって反射したり、透明なガラスのようなものに入って屈折したりするからこそ、人は眼に物からの光を取り入れて見ることができるのである。

　光がないと物は見えないこと、光は、光源から来ること、物がその光を反射すること、光源の反対側に影ができること。光を集めると物の温度が高くなること、光を上手に集めると物の形が写ること等々。これらのことを、体験をとおして学ぶことができる。

　3年生の子どもには、鏡やレンズなどの道具を使って、光で遊んだり、物があたたまる様子を体験させたい。

## 虫めがねカメラの作り方

❶ 2つの芯のうち、1本を切り開くようにま
っすぐ横に切る。切った両端が少し重な
るように径を縮め、もう1本に差し込む。
切った方が内筒、切っていない方が外筒
となる。

内筒が細くなりすぎない程度に、しかも
スムーズに動ける程度に調節したら、セ
ロハンテープで仮どめする。内筒を取り
出し、仮どめ部分の円周をセロハンテー
プで巻く。

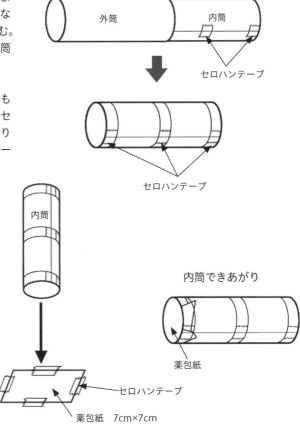

❷ 薬包紙を、7cm四方ほどに切る。
薬包紙の4辺に小さく切ったセ
ロハンテープを貼り、粘着面を上
にして机の上に置く。

内筒を薬包紙の中央に立て、しわ
が寄らないように引っ張りなが
ら、きれいに折りたたむようにし
てセロハンテープを手前、奥、右、
左の順にとめる。これで内筒はで
きあがり。

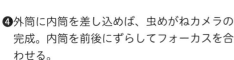

❸ 外筒の片方の端に布ガムテー
プを、半分以上はみ出す
ようにして巻きつけ、数カ
所に切り込みを入れて外側
に開く。布ガムテープを、虫
めがねの縁に巻き付けるよ
うにしてとめる。

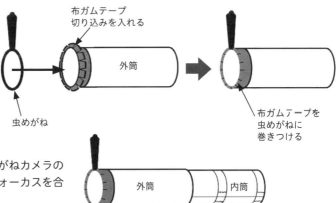

❹ 外筒に内筒を差し込めば、虫めがねカメラの
完成。内筒を前後にずらしてフォーカスを合
わせる。

虫めがねの焦点距離が長くて、内筒が外れそ
うな場合は、もう1つ外筒と同じ径の芯を用
意する。その長さを半分にしたものを❸で作
った外筒に合わせ、布ガムテープで留める。
その際、内筒を差し込んでおけば2つの筒の
"ずれ"も小さく、テープ貼りが容易。

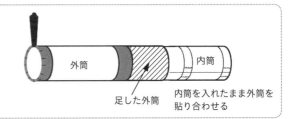

# 8．風で動かそう・ゴムで動かそう

## 風で動かそう

### 【目標】

(1) 風がよくあたるところをつくると、物はよく動く。

### 【指導計画】　4時間

(1) 風で紙を動かそう。 ……………… 1時間
(2) 風で動く車を作ろう。 ……………… 1時間
(3) 2枚ばねの風車を作ろう。 ………… 1時間
(4) おめめくるくる風車を作ろう。 …… 1時間

### 【学習の展開】

#### 第1時　風で紙を動かそう。

ねらい　　1枚の紙に帆をつけて風をあてると、よく動く。

準　備
・画用紙を（八つ切）1／4にした紙
　（1人4枚程度用意しておく）　・はさみ
・セロハンテープ　・帆かけスクーターの見本

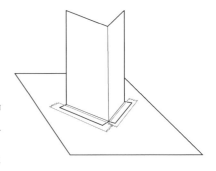

展　開
①　1枚の紙（画用紙を1／4に切った物）を見せ、中央で2つに折って、教卓の上に立たせてから発問する。「手を使わないで、この紙を動かすにはどうしたらいいでしょうか？」

　　机をたたく、机をゆらす、口や下敷きで風を送るなど出てくるだろう。

　　机をたたいたり揺らしたりしても少しずつしか動かない。風を送ってやると「動いた！」「回った！」「とんだ！」と遊び始める。しかし、とんでいってしまったり、くるくると回って倒れたりしてしまう。

②　「風を送るとよく動くけど、倒れちゃったり、とんでいったりしてしまうね。今からそうならないために"帆かけスケーター"を作りましょう」と呼びかける。

【帆かけスクーターの作り方】

❶2つ折りにした画用紙の折り目の一端に、1cmくらい切れ目を入れる

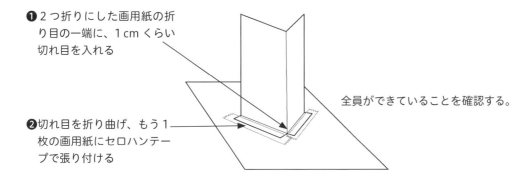

全員ができていることを確認する。

❷切れ目を折り曲げ、もう1枚の画用紙にセロハンテープで張り付ける

③　しばらく遊んでいると、「改造してもいい？」などと作り替える子が出てくる。材料をたくさん用意しておく。

　帆の形を大きくしたり、小さくしたり、数を増やしたりと、さまざまな工夫が出てくる。「タイヤをつけたい」という意見が出たら、「次の時間にタイヤをつけた帆かけ車を作ろう」と次の時間につなげる。

④　「やったこと」を、それぞれの子ども自身の言葉でノートに書く。

【ノートに書いてほしいこと】

　紙を立ててほにした。そこに風を当てると、"ほかけスクーター"が動いた。

## 第2時　風で動く車を作ろう

【ねらい】　四輪車に帆をつけると、風で走る。

【準　備】

・画用紙（八つ切）を1／4にした紙（複数枚用意しておく）

・段ボール（B6程度の大きさ）

・工作用紙（1人2cm × 10cm

・竹串（18cmくらい、1人2本）

・厚紙（1人1枚）　・はさみ　・セロハンテープ

・ペンチ　・目打ち　・帆かけ車の見本

・紙ストロー

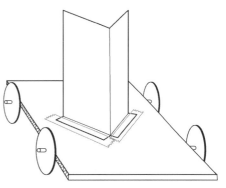

【展　開】

①　「帆かけ車を出して、風で実際に動かして見せる。「やりたい！」という言葉が出たところで、「帆かけ車を作って、風で走らせましょう」と言って作り方を説明する。

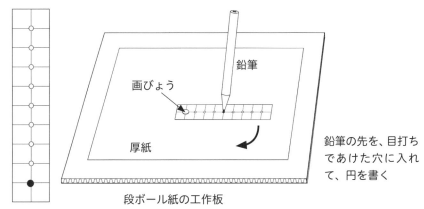

四輪車の作り方

❶紙コンパスで半径2cmほどの大きさの円を4つ、厚紙に書き、切り取る。

●紙コンパス

○＝目打ちで開けた穴
●＝画びょうを刺す場所

2cm×10cmの工作用紙

鉛筆

画びょう

厚紙

段ボール紙の工作板

鉛筆の先を、目打ちであけた穴に入れて、円を書く

❷❶で切りとった厚紙の円の中心部分に、目打ちで竹串がとおるくらいの穴をあける。

❸厚紙の円に竹串をとおしたものを2つつくる。

❹段ボール紙の穴の適当なところにとおし、反対側にもう1つの厚紙の円をつける。(右図参照)

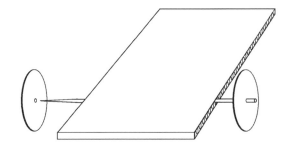

❺竹ひごのとがった部分を切り落とす。

❻画用紙で帆を作り、段ボール紙にセロハンテープではる。

② 作り方を教える。

③ 体育館など、広い場所で遊ぶ。強い風を起こすほど、勢いよく遠くに進むことが確かめられる。

④ 「やったこと」を、それぞれの子ども自身の言葉でノートに書く。

ノートに書いてほしいこと

下じきで強くあおいだら、風が強くなって、ほかけ車がすごく前に進んだ。

## 第3時　2枚ばねの風車をつくろう。

ねらい　2枚ばねの風車を作って、風をはねにあてると風車が回る。

準備

・工作用紙（10cm×2cmの物をたくさん）　・竹串（18cm　人数分）

・ストロー（直径6mm）　・はさみ　・目打ち　・工作板　・定規

・2枚ばねの風車の見本

**展　開**

① 見本の2枚ばね風車を回してみせる。歩いただけでもよく回る。子どもたちから「作りたい！」という声があがったところで、「2枚ばね風車を作ってまわしてみましょう。」と呼びかける。

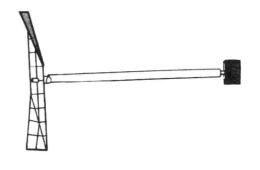

② 作り方を説明する

**2枚ばね風車の作り方**

《Aのはねの作り方》

❶ 工作用紙の右端から4cmの線を中央まで切れ目を入れる。

❷ 工作用紙をくるっと180°回転させて、やはり右側から4cmの線を中央まで切れ目を入れる。

❸ 工作用紙の中央の横線に定規をあて、両端から切れ目の部分まで目打ちで2〜3回こすって傷をつける。

《Bのはねの作り方》

❹ 図のように斜線をひき、カッターやはさみで傷をつけ、内側に持ち上げるように折る。

❺ 色をつけるときは、ここで色をつける。

❻ 工作用紙を小さな工作用紙に乗せ、中央の点に目打ちで竹串の太さよりも小さめの穴をあける。

❼ 工作用紙の穴に竹串をねじ込むようにさす。
竹串にストローの切れ端を差し込むと、はねが回りやすくなる。

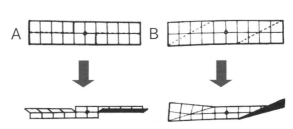

AとB、どちらのはねの形でもよい。

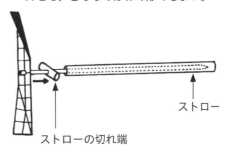

ストロー

ストローの切れ端

❽ 工作用紙の傷をつけた部分が谷になるように、両方のはねを上にもち上げる。

❾ ❽でつくったものをストローに差す。

※ だいたいの子どもが指導順に工作をして仕上げられるだろうが、いくつかの間違えやすいポイントがある。そこで失敗する子どもが出るので気をつける。

　1. はねの折り曲げ方が反対

　2. はねを同じ側に作ってしまった。

　3. はねを曲げていなかったり、逆に折り曲げすぎたりしている。

　失敗してもみんなで解決し、全員が成功するようにする。失敗したものがどうして回らないか考えるのも「風に当たって回る原理」を理解することにつながる。

③ 「やったこと」を、それぞれの子ども自身の言葉でノートに書く。

**ノートに書いてほしいこと**

　2枚ばねの風車を作った。風に当たるとよく回った。強い風が当たるとすごく回った。

## 第4時　おめめくるくる風車

**ねらい**　4枚ばねの風車を作り、はねに風があたるとよく回る。

**準　備**
- 工作用紙（はね用・10cm×2cmの物を1人2枚）
- 工作用紙（ヘアバンド用・3cm幅に切ったもの）
- 竹串（18cm 1人2本）　・紙ストロー2本　・定規　・ホチキス
- ビニルテープ　・おめめくるくる風車の見本

**展　開**

① 「おめめくるくる風車」を頭にかぶって、教室
　をぐるっと1周してみせる。

　　「おめめくるくる風車を作って、風で動かして
　みましょう。」

② 作り方を説明しながら作る。

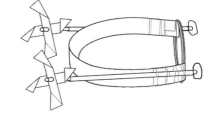

**4枚ばね風車の作り方**

❶前時の2枚ばねの❹までのものを4つ作る。

❷ボンドで2枚を重ね合わせたものを2組作る。

❸❷で作ったはねを小さな工作板に乗せ、中央の点
　に目打ちで竹串の太さより小さめの穴をあける。

❹工作用紙の傷をつけた部分が谷になるように、両
　方のはねを上に持ち上げる。

❺工作用紙の穴に竹串をねじ込むようにさす。

❻ヘアバンド用工作用紙の両端を折り曲げ、輪ゴム
　をはさんでホチキスでとめる。

❼ヘアバンド用工作用紙を頭につけて、ストローが
　まっすぐ前に向くような位置を探して指で押さ
　え、その部分をビニルテープでとめる。

❽❼に❺をさす。

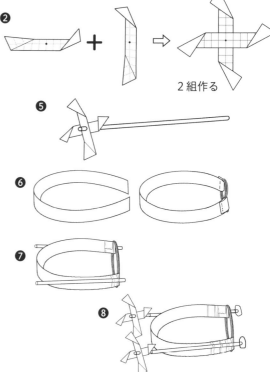

❶　4つ作る

❷　2組作る

❺

❻

❼

❽

③ 校庭で遊ぶ。

　　校庭で走り回って遊ぶ。思い切り走るとよく回り、ゆっくり歩くとゆっくり回る
　ことに気づくだろう。また、疲れて何気なく立っていると、風の吹いている方を向
　いた時にくるくる回るのを見つける子どもが出てくる。

④　ノートに今日やったことを書く。

**ノートに書いてほしいこと**

　風がふいている方に向くと風車が回った。思い切り走るとよく回り、ゆっくり歩いたり止まったりすると、ゆっくり回った。

## ゴムで動かそう

### 【目標】

(1) ゴムを伸ばし、元に戻ろうとする力を利用したおもちゃを作る。

(2) ゴムをねじり、元に戻ろうとする力を利用したおもちゃを作る。

(3) 紙コンパスや目打ちなどの道具を使う。

### 【指導計画】　６時間

(1) 輪ゴムで円盤をとばす。 ……………… １時間

(2) 割り箸で円盤をとばす。 ……………… １時間

(3) いろいろな円盤をとばす。 ………… １時間

(4) 発射台を作って、円盤をとばす。 …… １時間

(5) パッチンカエル作り。 ……………… １時間

(6) カタカタ車作り ……………………… １時間

### 【学習の展開】

### 第１時　輪ゴムで円盤をとばそう。

**ねらい**　　**輪ゴムをのばして、円盤を遠くにとばす。**

**準　備**

・工作用紙　・輪ゴム（たくさん）　・紙コップ

・教師が輪ゴムでとばせるように練習しておく。

**展　開**

①　輪ゴムで円盤で遠くにとばしてみせる。

　　教師がやってみせることで、子どもたちの「やりたい！」という言葉を引き出す。

　　円盤がとぶ方向に子どもたちが立たないようにする。

② 作り方を教える。

円盤の作り方

❶紙コップの底の円を
画用紙にうつしとる。

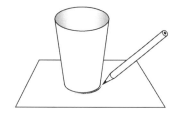

❷工作用紙から円盤を切り
取り、輪ゴムをひっかける
切り込みを入れる。

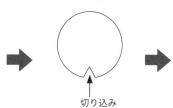

切り込み

❸親指に輪ゴムをかけ、も
う一方の手で円盤をもっ
て引っ張り、とばす。

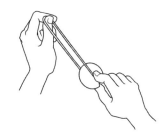

③ クラス全員で円盤をとばそう。

　ここで全員がとばせるようにすることが大切である。両手を1度にはなしてしま
ったり、自分に向かってとばしてしまったりしている子どもがいたら、上手にとば
せる子が先生になって、子どもたち同士教え合うようにする。

④ 外で円盤をとばそう。

　修理したり、円盤がなくなったりしたときのために、筆箱やはさみ、画用紙をも
って外に出る。

　外で円盤をとばすと、広いので遠くにとばそうとする。すると輪ゴムを思い切り
伸ばそうとしたり、輪ゴムを二重にしたり、2本つなげたりする。そこで遠くにと
ばすための工夫をさせる。

　しかし、輪ゴムを伸ばしてとばそうとしても、円盤が指に当たる子が多く出る。
「指が痛くて、輪ゴムを伸ばすのがこわい」という声が出てくる。この言葉は工作し
て作ったものを「よりよく作り替える」チャンスであり、次の時間の学習につなが
る。

⑤ 「やったこと」を、それぞれの子ども自身の言葉でノートに書く。

ノートに書いてほしいこと

ゴムを使って円ばんをとばした。円ばんが指にあたって痛い時があった。

## 第2時　指が痛くならないように、工夫しよう

ねらい　円盤を手にぶつけないで遠くにとばす。

準　備

・割り箸　・輪ゴム（たくさん）　・セロハンテープ

・工作用紙（前の時間に創った円盤でもよい）

① 円盤が手に当たらない方法を考えよう。

前の時間に「手が痛くて遠くにとばせなかった」と
ノートに書いている子がいれば、紹介する。そして「円
盤が手に当たらない方法はないかな？」と聞く。

「鉛筆を使ったらどうか」など、身近なものを使えば
指に当たることはなくなることが話し合われるだろう。
そこで割り箸を使ってとばすことを話す。

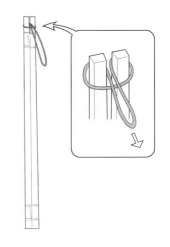

② 割り箸を使ったとばし方を教える。

右の図のように輪ゴムをとおして円盤をとばすこと
を説明する。

③ 外に出て円盤を遠くにとばそう。

指に当たる心配がないので、子どもたちはみんな思い切り輪ゴムを引っ張り、円
盤をとばす。「とばしっこ大会をやろう」などと呼びかけると、より遠くにとばすた
めに工夫する。こうした遊びから、「ゴムをよく伸ばすと遠くにとぶ」ということが
確かになる。

④ 「やったこと」を、それぞれの子ども自身の言葉でノートに書く。

ノートに書いてほしいこと

ゴムを思い切りのばすことができた。円ばんがとても遠くにとんだ。


## 第3時　いろいろな円盤をとばそう

**ねらい**　紙コンパスを使って、いろいろな大きさの円盤を作ってとばす。

**準　備**

・工作用紙　・紙コンパス　・画鋲　・鉛筆　・段ボール板

**展　開**

① 紙コンパスを使って、いろいろな大きさの円盤を作ってとばそう。

工作用紙を、横2cm、縦10cmに切り取る。真ん中の十字になっているところ
にキリで穴をあけ、鉛筆の芯が入るようにすれば完成である。

使い方はまず段ボール板を机の上にしき、その上に工作用紙を置き、紙コンパス
を置く。どこの穴でもよいので画鋲を指し、ずれないようにしてから、好きな大き
さの円を描く。きれいな円が描けるので、子どもたちはとても喜ぶだろう。

円ができたら、円を切り取る。(⇨ p.102「紙コンパスの作り方」参照)

② できた円盤をとばそう。

　「小さい円盤の方が遠くにとんだよ」「紙コンパスを長くしてもいい？」などさまざまな声があがるだろう。さまざまな大きさの円盤をつくったとしても、輪ゴムを思い切り伸ばすことでとぶことを確認する。

③ 「やったこと」を、それぞれの子ども自身の言葉でノートに書く。

┌─ **ノートに書いてほしいこと** ─────────────────────┐
│ 紙コンパスを使っていろいろな大きさの円ばんを作った。小さい円ばんが遠くにとんだ。 │
└──────────────────────────────────────┘

## 第4時　割り箸鉄砲の発射台を作ってとばそう

**ねらい**　輪ゴムをとりつけた割り箸鉄砲の発射台を作って、
　　　　　円盤を遠くにとばす。

**準　備**
・割り箸（たくさん）　・洗濯ばさみ（人数分×2）　・セロハンテープ
・輪ゴム（たくさん）

**展　開**

① 割り箸鉄砲を見せ、作り方を説明する。

　実際に作って見せる。その後、子どもたちをグループに分け、教え合いながら作らせる。全員が完成するようにする。

┌ **割り箸鉄砲の作り方** ┐

❶割り箸に洗濯ばさみをつけて、輪ゴムやテープでとめる。

❷割り箸の先（割れる方）には輪ゴムをつけて、はずれないようにセロハンテープでとめる。

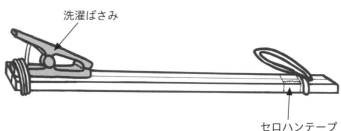

洗濯ばさみ

セロハンテープ

② 教室でとばそう。

　できあがった割り箸鉄砲を使って円盤をとばしてみる。しかし、第2時でやった時の方がよくとぶことがわかる。「前の時間につくったものの方がとぶよ」などと、不満げな子どもたちの姿がでたら次の展開にうつる。

③ 割り箸鉄砲を改造しよう。

　「よくとぶように改造しよう」と話す。割り箸や輪ゴムは自由に使っていいようにしておく。しばらくすると、洗濯ばさみをできるだけ後ろに付けようとする子どもがいたり、割り箸を2本つなげたものをつくってよくとぶようにしてくる子どもが出てくる。理由を聞くと「ゴムを思い切り伸ばすためにそうした」と話すだろう。

そこでクラスに紹介する。子どもたちは第２時で「輪ゴムをのばすとよくとぶ」ことを共通に経験しているので、友だちの工夫が理解できるのである。実際にやってみると思うようによくとぶようになるので、子どもたちはまた夢中になるだろう。

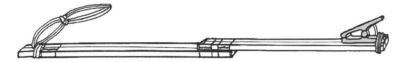

④ 「やったこと」を、それぞれの子ども自身の言葉でノートに書く。

### ノートに書いてほしいこと

割りばし鉄ぽうをつくった。最初はあまりとばなかった。だけど〇〇さんが割りばしを２本つなげたらよくとぶようになった。２本割りばしをつなげると、輪ゴムがすごくのびるのでよくとぶんだと思った。実際に作ってみると、割りばし１本の時より遠くまでとんだ。

## 第５時　輪ゴムでぴょん

### ねらい　伸ばしたゴムが元に戻ると、高くはねたり遠くへとんだりするおもちゃを作る。

### 準　備
・輪ゴム　・工作用紙　・セロハンテープ　・輪ゴムでぴょんの見本

### 展　開

① 「輪ゴムでぴょん」を作ろう。

授業が始まったら、だまってポケットから「輪ゴムでぴょん」を取り出し、机の上に置く。ぱちっと音がして上にとび上がるところをみせる。「やりたい！」と子どもたちが言ったところで、作り方を説明する。

### 輪ゴムでぴょんの作り方

❶ 5×6 cm の工作用紙２枚にゴムをかける切り込みを入れる。

❷ ２枚の工作用紙の間を１mmくらいあけ、セロハンテープで裏も表もしっかりととめる。

❸ 輪ゴムをかけ、裏返してとばしてみる。

※輪ゴムのかけ方は
　⑦④どちらでも
　かまわない

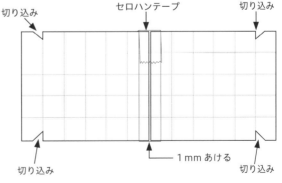

切り込み　　　　セロハンテープ　　　　切り込み

１mm あける

切り込み　　　　　　　　　　　　切り込み

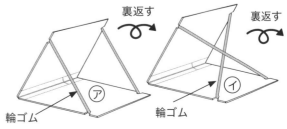

裏返す　　　　　　裏返す

輪ゴム　⑦　　　輪ゴム　④

教師が実際に作って見せながら説明する。その後、子どもたちをグループにさせて作る。全員が完成するようにする。

全員ができたところでとぶことを確認する。そして「どうしてとぶのだろう？」と問いかけ、輪ゴムが伸びて、元に戻る時にとぶことに気づかせる。「円盤とばし」と同様の仕組みでとぶことを理解することで、次の展開にすすむ。

② 高く、遠くにジャンプする「輪ゴムでぴょん」にしよう。

のびたゴムが元に戻るととぶという原理は4時間目までの円盤とばしの原理と同じである。それに気づけば、どう工夫したらいいか考えられる。縦に長くしてゴムをより伸ばすようになる。しかし輪ゴムの元に戻ろうとする力が強いため、画用紙が折れ曲がってしまう。そこで紙の種類を変えて作ろうとする子どもも出てくる。

③ 「やったこと」を、それぞれの子ども自身の言葉でノートに書く。

### ノートに書いてほしいこと

5マス×6マスの「輪ゴムでぴょん」を作った。輪ゴムが元にもどる時にとんだ。紙を長くしたら、もっとゴムがのびて、もっとよくとんだ。

## 第6時　コトコト車を作ろう。

### ねらい　輪ゴムをねじると元に戻る性質を利用した車を作って動かす。

### 準　備

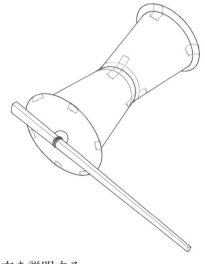

- ・紙コップ（100mL のコップを1人2個）
- ・工作用紙　・割り箸　・セロハンテープ
- ・ビーズ（真ん中に穴が開いている物1個）
- ・輪ゴム　・針金（エナメル線）　・目打ち
- ・ゼムクリップ　・コトコト車の見本

### 展　開

① コトコト車を作ろう

教師が作ったものを動かして見せる。

「やりたい」という気持ちにさせてから作り方を説明する。

### コトコト車の作り方

❶輪ゴムを2本ずつ2セット用意し、つなげる。つなぎ目の反対に、片方にはゼムクリップ、もう片方にはエナメル線（紙コップ2つ分の長さよりも長く）を取り付ける。

❷紙コップの底の中心に穴（1cm くらい）をあける。

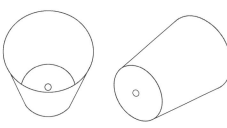

❸紙コップ2つの底同士をセロハンテープでつなげる。紙コップの飲み口が外側になる。

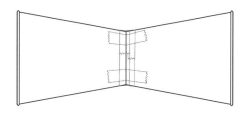

❹工作用紙に紙コップの飲み口より少し大きな円を描き、2つ切り取る。（ふたになる）

飲み口より少し大きく切り取る

ふた

2つ作る

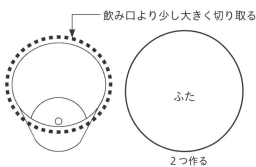

❺❶で作ったものを、紙コップの片方のふたの穴からとおし、もう一方の穴から出して、ビーズに輪ゴムをとおす。

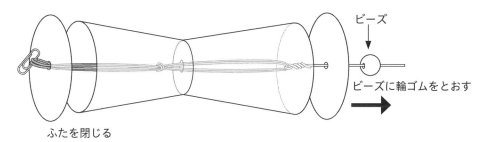

ふたを閉じる

ビーズ

ビーズに輪ゴムをとおす

**②　全員が完成したら遊ぶ**

割り箸をぐるぐる回すとゴムがねじれ、それが元に戻ることによって車が動く。ねじればねじるほど速く、遠くまで動く。

③　「やったこと」を、それぞれの子ども自身の言葉でノートに書く。

❻ビーズをとおした輪ゴムの先に割り箸をさし、針金をはずす。飲み口部分にふたをテープでとめる。

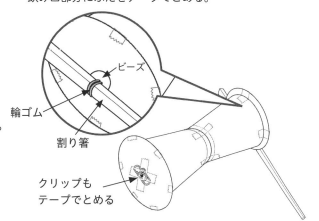

ビーズ

輪ゴム

割り箸

クリップもテープでとめる

**ノートに書いてほしいこと**

割りばしをまわしてゴムをねじったら、車が動いた。何回もたくさんねじったら、車がすごく速く、遠くまで行った。

## 参考図

　「自然のかんさつ」の発表でも風やゴムを使った"作って作り替える理科工作"にも取り組ませたい。ここでは発展教材として、風やゴムで動くおもちゃをいくつか紹介する。

### 風輪

作り方

❶紙皿と空き缶の中心を合わせて、紙皿で空き缶を挟むように、セロハンテープで貼る。

❷画用紙を垂直に折る。

❸画用紙を空き缶にセロハンテープで貼る。

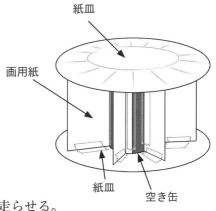

紙皿

画用紙

紙皿

空き缶

遊び方

・校庭など風が当たるところに置いて、くるくる走らせる。

・机の上や床などに置いて、息を吹いて、くるくる走らせる。

・うちわなどであおいで、くるくる走らせる。

### 風ごま

作り方

❶牛乳パックを切って、7 cm× 2 cm の長方形を 2 枚作る。

❷ 十字形に重ねて、のりで張り合わせる。重なっていない部分を谷折りにする。

❸中心にきりで穴をあけ、竹ぐしをさす。

遊び方

・こまに上から息を吹きかけると、くるくると回り出す。

### 輪ゴム飛行機

作り方

❶ハガキを縦に半分に切る。その片方をさらに半分に切る。

❷ 切ったハガキを割りばしに貼る。

❸ クリップをおこして、割りばしの先につける。ビニルテープでしっかりと巻く。

❹トイレットペーパーのしんに 2 ヶ所の切り込みを入れ、輪ゴムをかける。

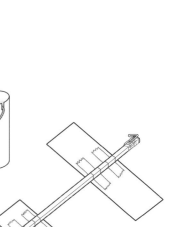

・クリップに輪ゴムをひっかけて、
　手前に引っ張り、とばして遊ぶ。

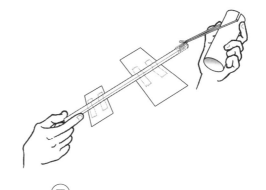

## 輪ゴムヘリコプター

遊び方 作り方

❶図アのようなはねを2枚作る。

❷2枚作ったはねのうち、1枚のはねの中心に目
　打ちでストローと同じくらいの大きさの穴を
　あける。そこにストローをとおして、セロテー
　プで固定する。

❸図イのように輪ゴム2本に針金をつけ、反対側
　にクリップをつける。

❹❸で作ったものをストローにとおす、輪ゴムが
　抜けないよう、クリップとストローをセロハン
　テープでとめる。針金の方はスロトーをとお
　し、ビーズを2つ入れ、その先にもう1枚のは
　ねをとおしてはねと針金を固定する。(図ウ)

❺回転させる上のはねを、左右とも同じ角度で折
　り上げる。
　ストローに固定した下のはねは、上のはねと逆
　サイドを左右同じ角度で折りあげる。

遊び方

・何十回もはねを回して輪ゴムをねじり、
　手をはなすととぶ。

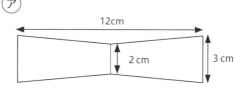

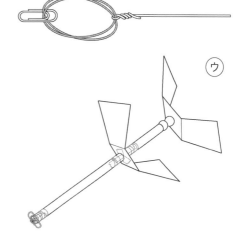

単元のまとめ

# 理科工作をとおした体験的な学習を！

　学習指導要領では3種類以上の物をつくることとなっている。何種類ものおもちゃ
を作ることは確かに必要であるが、なぜ何種類かのおもちゃを作るのだろうか。

　「比較」させることだけが目的ならばおもちゃの種類を増やす必要はない。3種類以
上の物を作ることによって「風やゴムが何かにはたらきかけることによって動く」と
いうこと、それとともに「理科工作」によって子どもたちにどんなことができるよう
にさせたいかというねらいをもつことによって、子どもたちの学習はより楽しく、わ
かるものになる。

どの教科書にも「作ってみよう」として、車以外の物を紹介している。ただ作ればよいのではなく、次のようなねらいをもって作らせることが大切である。

① 動くおもちゃ作りをとおして、仕組みや原理（この単元では風、ゴム）、材料の性質などを体験的にとらえること
② 作り、動かし、作りかえられる楽しさを知る。→失敗しても、何度でも作り直せる。仕組みや原理を使えば、失敗の原因もわかる。
③ 作ろうとするものを頭に描き、形にあらわし、道具を使い、作りだし、つくりかえ、さらに発展させるなかで、頭にむすびつけて、はたらく手をきたえる。
④ 材料が身近にあること→いつでも、どこでも（家でも）できる。工作キットのようなものは使わない。
⑤ すべての子どもができること→みんなができることで、他の人の工夫や、なぜそうなるのかという原理がわかる。教えあい、学びあうことができる。
⑥ 発展的な活動が可能→工夫することによって、さらによりよいものができる。工夫も単なる思い付きでなく、今までの学習での気付き、おもちゃの仕組みや原理を利用した工夫になる。
⇒仕組みや原理、材料の性質という根拠をもって「やってみる」という活動による論理的な思考を育てられる。

　以上のようなねらいによって、「動く原理や仕組み」がどの子にもわかりやすいもの、誰でもが作ることができるもの、作り変えが簡単にできるもの、材料が身近にあるもの、作る活動や遊びに発展性があるものといった視点で計画を立てていきたい。
　また、どの教科書も強い風やゴムの車にたいするはたらきかけが強いほど遠くに動き、弱いほどあまり動かないということを表にしようとしている。表にまとめる作業はしなくても、理科工作として上記のようなねらいをもって授業に取り組むことを中心にすることで、楽しく、そして学習内容も表にすることなく自然に獲得させることができる。

# 9．電気をとおすもの　金ぞくさがし

## 【目標】

(1) 乾電池に豆電球をつなぐと、豆電球に明かりがつく。

(2) 電気をよくとおす金属がある。

(3) 豆電球テスターで金属さがしができる。

## 【指導計画】　7時間

## 【事前準備】

★　おたよりなどで呼びかけ、スチール缶やアルミニウム缶の空き缶、ぼろきれ（使い古しの布）を集めておく。学校に持ってこられない子や失敗したときのために、多めに持ってこられる場合はその旨お願いしておく。

## 【学習の展開】

### 第1時　乾電池とソケットと豆電球を使って、豆電球に明かりをつけよう

**ねらい**　乾電池の＋と－にソケットの導線がつながって、1回りの輪になったとき豆電球に明かりがつくことがわかる。

**準　備**
・豆電球　・ソケット　・乾電池を全員に各1個、画用紙（グループに数枚ずつ）

**展　開**
① 乾電池、豆電球、ソケットを見せながら、「きょうは、こんなものを使って勉強するよ。乾電池は知っているよね。これは、豆のように小さな電球なので『豆電球』というよ。これは『ソケット』。ソケットから出ている線は『導線』。今からみんな

に、乾電池と豆電球とソケットを1つずつくばる。自分で工夫して、豆電球に明かりをつけてみよう。その時、明かりがつくつなぎ方、つかないつなぎ方を、グループごとに絵に描いておこう」と、はたらきかける。

② 　1人ひとり、豆電球に明かりをつける作業をする。

＊作業をする前にソケットのねじ込み方を説明する。

力を入れすぎないように注意する。

③ 　明かりがつくのは、どんな時か、つかない時はどんな時か、グループごとに順に描いた絵を見せながら、発表する。

＊発表に使った絵は黒板に明かりがつくつなぎ方、つかないつなぎ方の2つに分けて貼っていく。

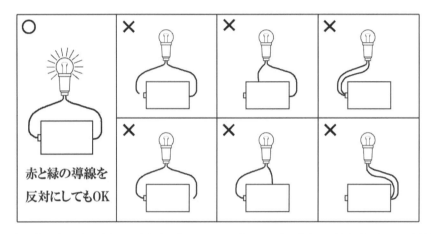

④ 　明かりがつくつなぎ方はどんな時か、つかないつなぎ方はどんな時か、黒板にはられた絵を見ながら確かめる。明かりがつく時は、次のとおり。

○豆電球がソケットに正しくねじこまれている。

○乾電池の＋極と－極にソケットの導線がつながり、一つながりの輪になっている。

　この一つながりの輪のことを「回路」というと教える。さらに、「回路というのは、ぐるぐる“回る路（みち）”ということだよ」と話し、乾電池の＋極→導線→豆電球→導線→乾電池の－極と、何度も“電気の通り道”である回路をなぞらせる。

　つけたしとして、教科書の発展部分に掲載されている豆電球の内部構造図を見せ、豆電球の内部も含めて“一つながりの輪”、つまり回路ができていることを確認する。

⑤ 　「やったこと」を、それぞれの子ども自身の言葉でノートに書く。

**ノートに書いてほしいこと**

　ソケットに、豆電球をよく回しながら入れる。次に、ソケットの導線と、乾電池のプラス極と、マイナス極をつなぐ。すると、明かりがつく。明かりがついたときは、電気の流れるところは一つながりの「輪」になっている。これを「回路」という。

## 第２時　金属テスターをつくろう

（できれば、第２時と第３時は２時間続きの授業としたい）

**ねらい**　金属テスターを作ることができる。

**準　備**

・豆電球　・ソケット　・単３乾電池　・単３用乾電池ホルダー　・割り箸１膳

・ゼムクリップ　・はさみ　・布ガムテープ　・セロハンテープ　・アルミホイル

**展　開**

① 「明かりがつくためには、電気の通り道が一つながりの輪になっていること、つまり回路ができていることが大切だったね。（見本の金属テスターを見せながら）導線が途中で離れていると、豆電球に明かりはつくかな？」と言って、電池も豆電球や導線つきソケットもちゃんとあるのに先端のゼムクリップが離れている状態では明かりがつかないことを見せる。

　その後、両方のゼムクリップを接触させると明かりがつくことから、電気の通り道＝回路がなくなると、電気が流れないので明かりはつかないことを確認する。

② 「ゼムクリップを離して回路が切れたまま、この間にアルミホイルをはさむと、明かりはつくかな？アルミホイルが電気をとおせば？」と聞く。「明かりはつく！」「電気をとおさなかったら？」「明かりはつかない！」と確認して、演示実験をする。

　明かりはついて、アルミホイルは電気をとおすことを確認する。

③ 「次の時間に、いろいろな物をこの間にはさんで、電気をとおすかどうか調べたい。まずは、金属テスターを作ろう。テスターというのは調べる道具という意味だよ。」と話す。

④ 作り方を説明し、みんなで作る。

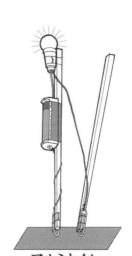

アルミホイル

**金属テスターの作り方**

❶ソケットの片方の導線を5cm残して切り取る。

❷切り取った導線と短くなったソケットの導線をそれぞれ、乾電池ホルダーに結びつける。

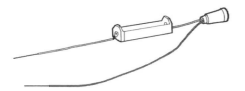

❸２本の導線の先に出ている銅線にゼムクリップをとおす。銅線を２つに折り曲げて指で押さえ、ゼムクリップを何回かクルクル回してねじり、しっかり取りつける。

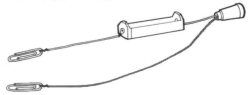

❹ホルダーに乾電池を、ソケットに豆電球を取りつける。ホルダーは布ガムテープで、ソケットとゼムクリップはセロハンテープで割り箸の上に留める。
導線はセロハンテープで留めず、自由に動かせるようにしておく。その方が、ゼムクリップ同士の距離を長くして調べる場合でも自由がきく。

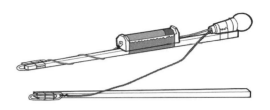

使っているうちにゼムクリップが引っ込んでしまうことがある。気になる場合は、ゼムクリップのすき間に割りばしの先端を差し込み、しっかりとセロハンテープでとめる。

⑤ 「やったこと」を、それぞれの子ども自身の言葉でノートに書く。

**ノートに書いてほしいこと**

先生が金属テスターで、アルミホイルが電気をとおすかどうか調べた。ピカピカ光っているので、電気をとおしそうだと思った。やっぱり電気をとおした。みんなもいろいろな物が電気をとおすかどうか調べるために、金属テスターを作った。


## 第3時　電気の通り道にどんな物をはさむと、豆電球に明かりがつくか調べてみよう

**ねらい**　金属でできた物が電気をとおすことを知る。

**準　備**

・金属テスター
・間にはさむ物のセットをグループに1箱ずつ（スチールや木のスプーン、鉄や銅のくぎ、ゼムクリップ、はさみ、画びょう、ホチキス、アルミホイル、竹ひご、工作用紙、下じき、チョークなど）
・教師用として金属板（アルミニウム、鉄、銅）、硬貨（数種類）
　＊箱のセットと金属板は、磁石の学習にも使う。

**展　開**

① 「きょうは、金属テスターのゼムクリップの間に物をはさんで、電気の通り道を1つの輪にして、豆電球に明かりをつけたい。どんな物をはさむと豆電球に明かりがつくと思う？」
② 子どもたち、1人ひとり調べる。調べながら明かりがついた物とつかない物に分けて、自分のノートに記録する。
③ 明かりがついた物とつかない物を発表する。教師は、子どもの発表を黒板の表に

書き入れる。

④ 表を見ながら、明かりがつく物、つかない物を調べて気がついたことを発表する。

・金色や銀色にピカピカ光っている物は、明かりがつく。

・光って固い物は、明かりがつく。

・木や紙などは、明かりがつかなかった。

| 明かりがついた物 | 明かりがつかない物 |
|---|---|
| 鉄のくぎ<br>どうのくぎ<br>鉄のクリップ<br>はさみの切るところ<br>画びょう<br>アルミホイル<br>スチールのスプーン<br>ホチキスの銀色のところ | 下じき（プラスチック）<br>チョーク<br>はさみの持つところ（プラスチック）<br>竹ひご<br>工作用紙<br>木のスプーン<br>ホチキスの銀色でないところ |

⑤ 「電気の通り道の途中に、ピカピカ光っている物をはさむと明かりがついた。電気がとおって、ピカピカ光っている物を『金属』というよ」

〈電気をとおす物 = 金ぞく〉と板書する。

「金属はスプーンやはさみなどの製品に作りかえられているけれど、もとはこういう物だよ」と、鉄板、銅板、アルミニウム板を見せ、ピカピカ光っていることや、これらが電気をとおすことを演示実験で確かめる。

つけたしとして、「アルミホイルはこの間先生が確かめたから、調べなくてもわかっただろうけれど、（アルミ板を見せて）このアルミニウムでつくったんだよ」と説明する。また演示実験で、硬貨も金属でつくられていることを示す。

⑥ 「やったこと」を、それぞれの子ども自身の言葉でノートに書く。

**ノートに書いてほしいこと**

いろいろな物を金属テスターで調べて、電気をとおすものと、とおさないものに分けた。そしたら、ピカピカ光っている金属は電気をとおして、木や紙やプラスチックなどほかの物はとおさないとわかった。

## 日本の硬貨

※ 造幣局 HP より

現在日本で製造されている硬貨は6種類。その素材は以下のようになっている。

500円玉：ニッケル黄銅（銅 72%・亜鉛 20%・ニッケル 8%）
100円玉と50円玉：白銅（銅 75%・ニッケル 25%）
10円玉：青銅（銅 50%・亜鉛 40 ～ 30%・すず 10 ～ 20%）
5円玉：黄銅（銅 60 ～ 70%・亜鉛 40 ～ 30%）
1円玉：アルミニウム（アルミニウム 100%）

1円玉以外は、すべて銅の合金だ。子どもたちには、「1円玉はアルミニウム、10円玉は銅、そのほかはいろいろな金属が混じっている」と、アルミ板、銅板を見せながら話せばいいだろう。

## 第4時　空き缶のどこも金属でできていることを調べよう

**ねらい**　被覆してある金属は被覆をはがせば、電気がとおることがわかる。

**準備**
・金属テスター　・空き缶（スチール缶、アルミニウム缶）　・紙やすり（100 番程度）

**展開**

① 「きょうは、空き缶のどこも電気をとおすか調べてみよう。」

② 金属テスターで調べる。

③ 調べてわかったことを発表する。

　・固い空き缶（スチール缶）もペコペコしている空き缶（アルミニウム缶）も、どこも豆電球に明かりがつかなかった。

　　以前の空き缶は、ふた部分と底は金属テスターで通電したが、最近のものは通電しないようだ。

④ 「空き缶はどこも、豆電球に明かりがつかなかった。金属ではないのかな？」。

　・豆電球はつかなかったけれど金属でできていると思う。

　・紙や木とは違う。

　・色が塗ってあるからつかないんじゃない？

　　このあたりで、空き缶に「アルミ」とか「スチール」の文字を見つける子がいる。そこで、「アルミはもちろんアルミニウムのこと。スチールは鉄だよ（鉄の合金の鋼だが、3年生なので鉄で押さえる）。」と教える。

　・やっぱり金属だ。

⑤ 紙ヤスリで空き缶の塗料をはがし、電気をとおすか調べてみる。調べたい部分を削って金属テスターを当ててもいいが、右図のように離れた部分を削り、調べると塗料の下は金属がつながっていることが実感できる。

　　ふた部分と底も削って調べる。

⑥ 調べてわかったことを発表する。

　・空き缶は、やはり金属でできていた。塗料を削ったら光った。

　・金属の色と同じようなところ（ふた部分と底）も、削ったら光った。

　・色の塗ってあるところは、はがして調べればいい。

　　ここで、1時間目にソケットの導線の先の被覆をはがして、銅線を露出させていた意味を確認する。

⑦ 「やったこと」を、それぞれの子ども自身の言葉でノートに書く。

## 第5・6時　金属をみがいたり、たたいたりしよう

**ねらい**　**金属には金属光沢や電導性以外に、たたくと広がる性質（展性）もあることがわかる。**

**準　備**

・金属磨き（乳液タイプ）　・ぼろきれ　・アルミニウム缶（底がみがきやすいので）

・粒状のすず（試薬）　・米粒ほどの大きさの小石

・アルミニウムの太い針金（１人２cm）

・割り箸　・金床（たなとこ）（なければ厚い金属の板）　・ハンマー

**展　開**

① 「空き缶は金属でできていることがわかったね。紙やすりで削ったら銀色になった。きょうはこのアルミ缶の底を、もっとていねいに削ってみよう」と呼びかける。

　　ぼろきれに金属磨き液をつけ、しっかりみがかせる。ピカピカに金属光沢が現れて、アルミ缶の底がへこんでいるものは凹面鏡になる。自分の顔が逆さまに見える。

　　金属光沢をしっかり実感したところで、次に移る。

② 　１人に１粒ずつすずをくばる。「それは、金属かな？」と聞く。触った感じや金属光沢から、「金属！」と答えるだろう。演示実験で、金属テスターで調べてみると豆電球に明かりがつくことから、金属だとわかる。「金属の"すず"だよ」と教える。

　　金床とハンマーを見せながら、「金属のすずをこの金床の上に置き、ハンマーでたたくと形は変わるかな？」と聞く。「"よくわからない"という人」「"形は変わらない"と思う人」「"粉々になる"と思う人」「"ぺちゃんこになる"と思う人」と聞いて手を上げさせる。"金属は固い"というイメージが強いので、多くの子は「変わらない」と考えるだろう。

③ 　少しだけ意見を聞いてから、グループごとに１人ずつたたいてみる。活動場所については振動（音）なども考えて設定する。また、子どもたちには以下のように注意する。

　・金床は重いので、持ち運びのときには落とさ

ないように注意する。

・高く振り上げて思いっきりたたくのではなく、高さ20cmくらいから最初はやさしく、だんだん強くたたく。

・友だちがたたいているときは、絶対に手を出さない。

④　たたくたびにすずは変形し、ついにはぺちゃんこになる。3年生の子どもの手でも、簡単に折り曲げられる。これを自分のノートにセロハンテープで貼らせる。

⑤　金属と比較するために、すずの粒と同じくらい、米粒ほどの大きさの小石を金床の上に載せ、ハンマーでたたく。金属はつぶれたのに、小石は粉々になる。このことで、金属はたたくと広がる性質があることが鮮明になる。

　　演示実験で、つぶれたすずにも電気がとおることを金属テスターで示す。

　　米粒ほどの小石であれば破片がとび散ることもなく、すべてハンマーの打面の下に粉々のまま残っている。事前の実験をして、どんな具合か確かめておく。時間があまり取れなければ、演示実験でもいいのでとり上げる。

⑥　「やったこと」を、それぞれの子ども自身の言葉でノートに書く。

---

**ノートに書いてほしいこと**

アルミ缶の底を、金属みがきをつけた布でみがいたら、ピカピカ光って鏡になった。金属のすずを金どこの上で、ハンマーでたたいたら、ぺちゃんこになった。ぺちゃんこになっても、電気をとおした。金属はぺちゃんこになったのに、小石をたたいたら粉々になった。

---

⑦　演示実験でアルミニウムの針金に電気がとおることを示した後、「今度は、このアルミニウムという金属の針金（2cmほどの長さ）を、金床の上でたたいてみよう。どうなるかな？」と聞く。「すずがぺちゃんこになったので同じようにつぶれる」と考える子もいるが、「すずとは違うからつぶれない」と考える子も結構いる。すずと同じように注意しながらたたかせると、しっかりつぶれる。

　　もちろん金属テスターで調べると、つぶれたアルミニウムの針金も通電し、金属の性質が残っていることが確認できる。

　　「ガラスを同じようにたたくとどうなるかな？」と聞く。やるまでもなく、「割れる！」と答えるだろう。

　　金属はたたくと広がる性質があることが、1種類では確かにならなくても、2種類やることでよりはっきりしてくる。本来は3種類はやった方がよく、時間があれば粒状の亜鉛でもやってみたいところではある。

　　ここで、アルミニウムは薄く伸ばすことができるので、それを利用してできたのがアルミホイルであることを話す。

金属にはこうした性質があるので、いろいろな製品に利用されている。それを探るのが次の授業である。

⑧ 「やったこと」を、それぞれの子ども自身の言葉でノートに書く。

> **ノートに書いてほしいこと**
>
> アルミニウムの針金をたたいたら、すずと同じようにぺちゃんこにつぶれた。ガラスはたたくと割れるけど、金属はぺちゃんこになって広がった。

## 第7時　金属テスターで金属さがしをしよう

**ねらい**　金属テスターで金属さがしができる。

**準　備**

・金属テスター　・紙やすり（100番程度・教師持ち）

**展　開**

① 「きょうは、金属テスターを持って学校の中の金属さがしをしてみよう。教室だけでなく、校庭に行ってもいいよ」と話す。

② ２人１組くらいになって、学校の中の金属さがしをする。

　児童の机やいすのあし部分などには、さびが取れて金属光沢が見えるところもあるので、こうしたところを利用すればいいだろう。

　金属だと思われるのに、コーティングされて通電しないところもある。水道の蛇口などがそうだが、ここは紙やすりでけずるわけにはいかない。こんなときは、「空き缶のふたの所と同じように、何か塗ってあるんだね」と話してやる。

　紙やすりは教師が持ち、子どもたちに声をかけられたら、けずってもよいものについてだけ、教師がけずってあげる。

③ 教室にもどり、金属でできていたものを発表し合う。

　身のまわりのものの多くが金属でできていることに気づく。

④ 「やったこと」を、それぞれの子ども自身の言葉でノートに書く。

> **ノートに書いてほしいこと**
>
> 教室の中で、かくれた金属さがしをした。ねじ、フック、かぎの穴、いすのあしは豆電球に明かりがついて金属だとわかった。校庭でも鉄棒やジャングルジムのピカピカ光っているところは電気がとおって金属だとわかった。学校の中に金属がたくさんあった。

　この後、家庭や地域の中での金ぞくさがしへと発展させたい。そして、「見つけたこと、考えたこと」を朝の会などでクラスのみんなの前で発表する。もちろんけずりたくても、家の人が「いいよ」と言わないものは、けずらないように注意する。

# 「電気をとおすもの」は、金属さがしの学習に！

電気の学習では、回路が重要なポイントではある。しかし回路については4年生でも学習することになっている。3年生では「一つながりの輪＝回路」ということは実験で押さえるが、くわしくは論理的思考ができるようになる4年生で行うようにしたい。

金属はその性質（次のコラム参照）によって、古くからさまざまな製品に利用されてきて、現在でも、私たちの身のまわりにたくさん存在している。3年生の電気学習ではむしろ、電気をとおすかどうかで、身のまわりにあるものが、金属と金属でないもの（非金属）に分けられることを学び、金属テスターで金属さがしをすることで、生活に金属がたくさん使われていることに気づくようにしたい。

なお、電気にしろ、この後の磁石にしろ、金属とは何かを知らなければならない。ということで、金属をたたいて広げる（展性）学習も含めた金属学習を取り入れた。金属を引っ張って延ばす（延性）については、時数も考えて入れていない。

**Column** コラム

## 金属の性質

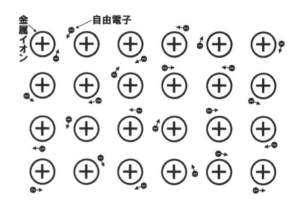

金属の原子は、自分のもつ電子を放出して陽イオンになろうとする。このとき放出された電子は特定の金属原子に束縛されることなく、金属全体をとび回る。これが、**自由電子**。

自由電子は光を反射するので、ピカピカと光る。これを**金属光沢**という。

また自由電子が金属柱を移動して電気や熱のエネルギーを伝えるので、電気や熱をよくとおす（**電気伝導性・熱伝導性**）。

そして、金属をたたいたり引っ張ったりすると、平べったく広がったり（**展性**）延びたりする（**延性**）。これは、金属イオンが移動しても、そのつながりを自由電子が保とうとするからである。

金を例にすると、たった1gの金はたたけば畳2畳くらいの大きさには広げられるし、引き延ばせば何と3kmにもなるという。薄く延ばした金は金箔として、細く引き延ばした金は金糸として利用される。

# 10．じじゃく　鉄さがし

## 【目標】

(1) 磁石にくっつくものは鉄である。

(2) 磁石は鉄との間に物があっても引きつける。

(3) 磁石には２つの極がある。

(4) 磁石の性質を使っておもちゃを作ったり、遊び方を工夫したりする。

## 【指導計画】10 時間

(1) 磁石にくっつくものは鉄である。

　　・磁石遊び／磁石にくっつく物を調べよう……… 2 時間

　　・鉄さがしをしよう。……………………………… 1 時間

(2) 磁石は鉄との間に物があっても引きつける。

　　・クリップは宙づりにできるかな？…………… 1 時間

(3) 磁石には２つの極がある。…………………………… 1 時間

　　・磁石が鉄を引きつける力はどこが強いか調べよう。

　　・磁石の２つの極を調べよう。………………… 1 時間

(4) 磁石の性質を使って考える。

　　・方位磁針も磁石かどうか調べよう。………… 1 時間

　　・磁石にくっつけた鉄は磁石になる。………… 1 時間

　　・磁石は割れても磁石かな？………………… 1 時間

(5) 磁石を使ったおもちゃを作ろう。………………… 1 時間

## 【事前準備】

★　フェライト磁石は割れやすいので、子どもたちが落としたりして割れることがある。こうした破片は第９時で使えるので、取っておく。

## 【学習の展開】

### 第１・２時　磁石にくっつく物を調べよう

**ねらい**　金属の中でも磁石にくっつく物は鉄である。

**準　備**

・丸いフェライト磁石（１人２個）

・電気の学習で使った物のセットをグループに１箱ずつ（スチールや木のスプーン、鉄や銅のくぎ、鉄製のゼムクリップ、はさみ、画びょう、ホチキス、アルミホイル、竹ひご、工作用紙、下じき、チョークなど）

・教師用として金属板（アルミニウム、鉄、銅）、硬貨（１円玉、10円玉）・金属テスター

**展　開**

① 　導入として、丸いフェライト磁石を１人に２個配って遊ばせる。

次のようないろいろな遊びが出てくるだろう。

◎ゆらゆら磁石：１個の磁石にもう１個をぶら下げてゆらゆら揺らす。

◎電車ごっこ・追いかけっこ：机の上に置いた１個の磁石にもう１個の磁石を近づけていく。近づける磁石の持ち方によって、机の磁石がくっついてきたり、離れていったりする。くっついてきたときに手に持った磁石を動かすと、もう１つがくっついたままついてくる。離れていくときには、いくら近づけようとしても逃げていく。

◎遠隔操作：ノートの上に載せた磁石を、ノートの下からもう１個の磁石で動かす。

◎ピアス：耳たぶを２つの磁石ではさむ。

◎くるくる磁石：児童のいすの脚に１個の磁石を立てるようにつけ、ちょんと押すと脚を上から下にクルクル回転しながら落ちていく。などなど……

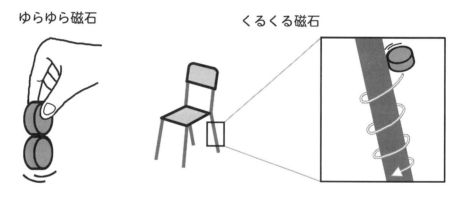

ゆらゆら磁石　　　　　　　　くるくる磁石

これらの遊びの経験が、この後の“磁石の性質”の学習に生きてくることになる。

② 　「箱の中に入っている物を金属と金属でない物に分けてみよう。」と呼びかける。簡単に金属さがしの復習をする。子どもたちが分けた金属のうち、２つか３つほど選び、金属テスターでの通電を確認、復習する。

③ 　「金属はみんな磁石にくっつくかな？」と問う。

④ 　経験や予想などを、簡単に話し合う。

⑤ 　フェライト磁石を使って実験で確かめ、くっついた物、くっつかない物を表に整理する。

⑥ 　演示実験で、硬貨、金属板に磁石を近づけ、磁石にくっつく物は鉄でできている

ことを確かめる。

⑦　「やったこと」を、それぞれの子ども自身の言葉でノートに書く。

### ノートに書いてほしいこと

　最初、箱の中にあるいろいろな物の中から、ピカピカ光る金属だけ選んだ。電気のときにやったから簡単だった。金属はみんなじしゃくにつくかと思ったら、くっつくのは鉄だけだった。銅もアルミも、じしゃくにはつかなかった。

## 第3時　鉄さがしをしよう

### ねらい　磁石を使って鉄さがしができる。

### 準　備
・フェライト磁石（1人1個）
・空き缶（アルミニウム缶、スチール缶：グループ1缶ずつ）
・紙皿にたくさんのくぎ（鉄、銅：グループ1皿）　・紙皿（グループ1皿）

### 展　開

①　2種類の空き缶のうち、鉄でできたスチール缶だけが磁石につくことを確認する。「金属さがし」の時は、塗ってある物をはがさなければ電気がとおらなかったが、「鉄さがし」では塗ってあったままでも探せることも押さえる。
　「磁石につく物は鉄だけ」ということが、より確かなものになる。

②　たくさんの鉄のくぎや銅のくぎが混ざっている紙皿をグループにくばる。
　「鉄のくぎと銅のくぎが混ざっている。どうしたら、できるだけ速く分けることができるかな？」と聞く。「磁石を使えばいい」と出てきたところで、磁石をくぎの山の中に突っ込み、鉄くぎだけくっつけて別のお皿などに分けて取り出す。

③　教室や（時間があれば）校庭の、鉄さがしをする。
　「しぜんのたより」として、家庭でも鉄さがしに取り組ませたい。ただし最近はカード類が増え、それらは磁力に弱いので、心配であればゼムクリップで家庭内の磁石さがしをしてもいいだろう。

④　「やったこと」を、それぞれの子ども自身の言葉でノートに書く。

### ノートに書いてほしいこと

　アルミニウムの空きかんにじしゃくはつかなかったけれど、鉄の空きかんには色をけずらなくてもついた。鉄と銅のくぎが混ざっている中から、じしゃくを使って簡単に鉄のくぎだけ取り出せた。じしゃくで鉄さがしをした。机やいすのあし、フックや先生の本だななど、教室にはいっぱい鉄があった。

## 第4時　クリップは宙づりにできるかな？

**ねらい**　磁石は、鉄との間に物があっても引きつける。

**準　備**

・画びょう　・糸のついた鉄製ゼムクリップ　・水槽
・棒磁石（磁力の強い方がよい）

**展　開**

① 水の入った水槽に画びょうを落とし、手をぬらさないで取り出す方法を話し合う。
　　磁石で画びょうを引きつけ、そのまま水槽の壁を上へ動かして取り出す（演示実
　験）。

② 糸のついたゼムクリップを見せ、演示実験で糸の片方を机にセロハンテープで留
　めて磁石につけたまま上に持ち上げる。その後、「磁
　石をもう少し上へ持ち上げて、ゼムクリップを宙づり
　にできるかな？」と問う。

　　「できない」と考える子もいるが、1時間目の遊び
　「遠隔操作」や、水の中の画びょう取りの結果から「で
　きる」と考える子がいるだろう。

③ 1人ひとりに糸のついたゼムクリップをくばり、や
　らせる。磁石とゼムクリップの間にすき間がある状態
　で宙づりにできることを確認する。

④ 磁石とゼムクリップのすき間に物を入れる子が出
　てきたら、グループで協力してやらせる。出なかった

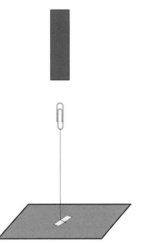

　ら教師から提起する。例えばノートをまず1冊、次に2冊重ねて…と、すき間に入
　れていく。

⑤ 「磁石が鉄を引きつける力のことを"磁力"といって、＜磁力がはたらく＞のよう
　に使うよ」と教える。

⑥ 「やったこと」を、それぞれの子ども自身の言葉でノートに書く。

**ノートに書いてほしいこと**

　水そうに落ちた画びょうをじしゃくで取り出せた。間に水そうのかべがあっても、じ
力がはたらいた。じしゃくで糸のついたゼムクリップを宙づりにできた。これもじ力が
はたらいたからだった。すき間に教科書を入れても、じ力がはたらいてゼムクリップは
落ちなかった。

## 第5時　磁石が鉄を引きつける力はどこが強いか調べよう

（できれば第6時と2時間続きにする）

**ねらい**　磁石は両端の磁力が強く、ここを「極」という。

**準備**

・棒磁石　・U字形磁石（どちらも磁力が強くないもの2人に1本）

・ゼムクリップ

**展開**

① 黒板に右のような棒磁石の図を
描き、「この磁石にゼムクリップを
つけていく。どこが1番たくさんつ
くかな？」と問う。

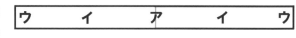

・簡単に経験や予想などを話し合ってみる。

② 2人1組くらいで1人が棒磁石を持ち、1人がゼムクリップをア〜ウの位置につ
けていく。その後、ゼムクリップの山の中に磁石を突っ込んでから持ち上げて確か

めることもする。「両方の端が、1番
磁力が強かった。この磁力が1番強
いところを『極』という。

③ 磁石には極が2つある。他の磁石
でも2つあるかな？」と問う。

・U字形磁石でも同じようにして、
極が2つあることを確かめる。

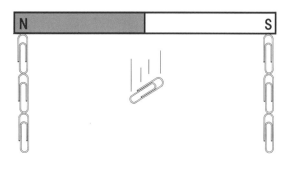

④ 「やったこと」を、それぞれの子ども自身の言葉でノートに書く。

**ノートに書いてほしいこと**

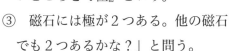

　棒じしゃくの、どこがじ力が強いかクリップをつけていって確かめた。両方のはし
のじ力が強かった。このじ力が強いところを「極」というそうだ。U字形じしゃくで
も、両方のはしに極があった。

## 第6時　磁石の2つの極を調べよう

**ねらい**　磁石の2つの極はS極とN極といい、同じ極どうしは
しりぞけあい、違う極どうしは引きつけあう。

**準備**

・棒磁石（磁力が強くないもの。グループに2本）NやSなど極が書いていない棒磁
石の1本のN極に赤いビニルテープを巻く。理科室に極を書いていない磁石がない

場合は、Ｎ極を赤、Ｓ極を白のビニルテープで巻いてＮとＳの字を隠す。

① 磁石の端の力が強いことから、端どうしをつけたらどうなるか、簡単に話し合う。
今までの経験から、「くっつく」「反発する」という両方の意見が出る。

② 棒磁石の端（Ｎ極）に赤いテープを貼った物を各班にくばり、他の磁石を調べる。
赤いテープの貼ってある極にくっついた反対の極に赤いテープを貼っていく。赤と
白のビニルテープを貼った磁石での実験の場合、下の図のようになる。

## 赤と赤、白と白の極はしりぞけ合う

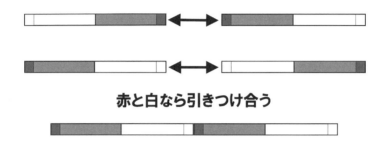

## 赤と白なら引きつけ合う

③ 極が書いていない磁石の場合、極がわかる磁石を近づけて赤い方がＮ極、反対側
がＳ極であることを確かめる。赤と白のビニルテープを貼った場合は、ビニルテー
プをはがして極を確認する。そので、磁石にはＮ極、Ｓ極があること、同じ極どう
しは引きつけ、違う極どうしはしりぞけあうことを確認する。

④ 「やったこと」を、それぞれの子ども自身の言葉でノートに書く。

［ノートに書いてほしいこと］

じしゃくには、Ｎ極とＳ極という２つの極がある。そして、同じ極どうしを近づけ
てもはね返すけれども、Ｎ極とＳ極を近づけるとくっついた。


## 第7時　方位磁針も磁石かどうか調べよう

ねらい　磁石は自由に動くようにすると南北をさし、
　　　　方位磁針にも磁石の性質がある。

準　備
・方位磁針　・くぎや針金などの鉄の物　・極の書いてある棒磁石
・時計皿（理科室にない場合は、棒磁石を糸で吊るして自由に動けるようにする）

展　開
① 棒磁石を教卓の上の時計皿に載せて、自由に動くようにする。止まったところで
両腕を水平に開き、棒磁石の向いた方向に合わせる。教室内の２～３か所で同じこ

とをすると、すべて同じ方向で止まる
ことがわかる。

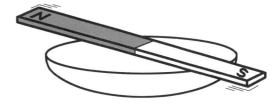

② 正午ごろにやると、「太陽とかげ」で
学習した南北線の方向と一致すること
がわかる。時間がずれていれば、南北
線の方向を思い出させて確認する。子
どもたちから「方位磁針みたい！」と
の声が上がるだろう。そこで方位磁針を置き、棒磁石のN極が北を、S極が南を指
していることを確かめる。

　教科書の図を見せながら「地球も大きな磁石であり、英語の北（North）を指す
からN極、南（South）を指すからS極という」ことを話す。

③ 「棒磁石が自由に動くようにすると、方位磁針みたいに南北を指したね。では、そ
の方位磁針の中に入っている針は、磁石かどうか確かめるにはどうしたらいいか
な？」と聞いて、簡単に話し合う。

　・鉄と引きつけ合い、2つの極があることを確かめればよい

　　（1）くぎや針金など鉄製の物を近づけて、針を引きつけるかどうか調べる。

　　（2）極の書いてある棒磁石の1つの極を近づけ、方位磁針の針に2つの極がある
　　　　かどうか調べる。

④ ドーナツ型の磁石があれば、粘土の山に木の棒を挿し、そ
こにこの磁石2つをとおす。同極が向かい合っているときは
くっつくが、異極が向かい合っているときに上の磁石を押し
下げてから手を離すとお互いに反発し、磁石のバネのように
跳ね上がったり下がったりする（右図）。

⑤ 「やったこと」を、それぞれの子ども自身の言葉でノートに
書く。

### ノートに書いてほしいこと

　棒じしゃくを時計皿にのせたらすーっと動いて、N極が北、S極が南を指して止ま
った。方位じ針の針に鉄のくぎを近づけたら針が寄ってきたし、棒じしゃくのN極を
針に近づけたら片方はにげて、片方は寄ってきた。だから方位じ針の針もじしゃくだ
とわかった。

## 第8時　磁石にくっついた鉄は磁石になる

**ねらい**　磁石にくっつけたり、こすったりした鉄が磁石になる。

**準備**
・アルニコ磁石のような強力な磁石（もし極が書いていない場合は、ビニルテープで目印をつけておく）・15cmほどの鉄の棒か5寸くぎ・方位磁針

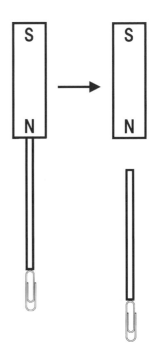

**展開**

① 磁石に鉄の棒をつけて、その先に鉄のクリップをつけると、クリップはくっつくか話し合う。簡単に意見を出させた後、演示実験でアルニコ磁石の例えばN極に鉄の棒をぶら下げ、その下にゼムクリップをそっと接触させる。ゼムクリップは鉄の棒にくっついたままぶら下がる。

② 「鉄の棒を磁石から離したらどうなるか」と問い、簡単に意見を聞いた後、演示してみせる。ゼムクリップはくっついたままであることを確かめる。

③ 「鉄の棒を磁石から離したのに、なぜゼムクリップは落ちないでくっついたままなのか」と問う。「鉄が磁石になった？」などいくつか考えが出てくる。

　アルニコ磁石は磁力が強いので離したところに移し、方位磁針を鉄の棒の両端に近づけてみる。すると、磁石に接触していた方はS極、離れた方はN極になっていることがわかる。

④ 「では、この鉄の棒にくっついたゼムクリップの下に、もう1つゼムクリップはつくかな？」と問う。グループごとにアルニコ磁石と鉄の棒、ゼムクリップのセットを配って、実験させる。

⑤ 「やったこと」を、それぞれの子ども自身の言葉でノートに書く。

---

**ノートに書いてほしいこと**

　棒じしゃくに鉄の棒をくっつけ、棒の下にクリップをくっつけたら、そのまま落ちないでくっついていた。じしゃくになったかどうか方位じ針で調べたら、N極もS極もあった。棒じしゃくのN極にくっついていた方は、S極だった。くっついているクリップの下にもう1つクリップがつくかやった。3つもつながった。

---

※　第2章で述べたように、新学習指導要領では現行の「磁石に付けると磁石になる物があること」から「磁石に近付けると磁石になる物があること」に変更されている。

しかし、教科書でも3社は"近づける"に触れておらず、ほかの2社の説明はつながった状態のくぎで説明しており、子どもには納得できない。

学習指導要領につきあう場合、次のような方法がある。何度か練習してコツをつかみ、演示実験として第8時につけ足せばよい。

① 第4時の"クリップの宙づり"を思い出させ、「あのゼムクリップは磁石になったのだろうか」と問題意識を持たせる。

② ゼムクリップを、1本1本ばらばらになっているホチキスの針に接触させて、くっつかない（磁石になっていない）ことを確認する。

③ 片手に強力磁石、もう一方の手にゼムクリップを持つ。両手の一部の指どうしを接触させて強力な磁石の磁力に対抗し、磁石とゼムクリップが接しないように注意する。強力な棒磁石にゼムクリップをぎりぎり（2～3mm）まで近づける。引っ張られる感覚があるので、その状態で10数秒保つ。

④ その後、ゼムクリップをホチキスの針に接触させると、何本かくっついて、ゼムクリップが磁石になったことを確認できる。

## 第9時　磁石は割れても磁石

**ねらい**　磁石は割れても、どちらも磁石になっている。

**準備**

・割れたフェライト磁石　・磁力の強い棒磁石　・棒状のゴム磁石
・ゼムクリップ（1人1つ）　・ラジオペンチ（1人1本）　・方位磁針（1人1個）
・ホチキスの針（ホチキスを、紙をはさまないでカチンカチンと針を1本ずつにする。1人1本～2本程度）

**展開**

① 割れたフェライト磁石を見せ、破片のどちらも磁石かどうか調べる方法を考え話し合う。

・鉄がくっつくかどうか調べる。

・方位磁針で、両極があるかどうか調べる。

割れたフェライト磁石の破片がたくさんあれば、グループ実験をする。破片も磁石だとわかる。

② ゼムクリップを、ラジオペンチを使ってまっすぐに伸ばす。

ゼムクリップの外側のまっすぐな部分から曲がり始めの辺りをラジオペンチの先で押さえ、外側に倒す。そこから曲がり始め、曲がり始めにラジオペンチを移動して、伸ばしていく。こうして道具の使い方を自分のものにするのも大事な学習。

③ まっすぐに伸ばしたゼムクリップの片端を指で押さえ、押さえた方からもう一方の端まで、1方向に何回かこする。

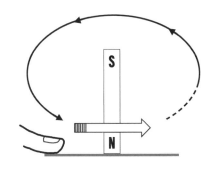

ホチキスの針に近づけてくっつくこと、方位磁針で2つの極ができて磁石になっていることを確かめる。さらに、その針金状になったゼムクリップをラジオペンチで半分に切り、同様のことをして半分になっても磁石であることを確かめる。

両端がN極S極になっている棒状のゴム磁石があれば、"切っても切っても磁石"の演示実験をする。ゴムなので、はさみで簡単に切ることができる。

④ 「やったこと」を、それぞれの子ども自身の言葉でノートに書く。

**ノートに書いてほしいこと**

割れたじしゃくは、どちらもじしゃくのままだった。クリップをまっすぐに伸ばしてじしゃくでこすったら、クリップがじしゃくになった。半分に切っても、じしゃくのままだった。

## 第10時 磁石を使ったおもちゃを作ろう

**ねらい** 磁石の性質を使っておもちゃを作ることができる。

**準　備**

ゼムクリップをはさんだ魚の絵を磁石で釣り上げる"魚釣り"も楽しいが、図書室で工作の単行本や図鑑などを見て、ほかにも学習が生かせるおもちゃ作りを考える。

また、クラスの状況や時間を考えて、どこまで事前に準備し、どこから子どもたちに作業させるかは考えておく。

## おもちゃの例

### おどる人形

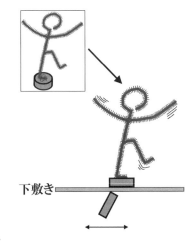

片面がN極、反対側の面がS極になっているフェライト磁石を2個使う。モールで小さな人形を作る（画用紙に好きな絵を描いたものでもかまわない）。できた人形を1つのフェライト磁石にテープで貼りつける。

**遊び方**

人形を貼りつけたフェライト磁石を下敷きの上に載せ、

下敷き

もう１つのフェライト磁石を斜めから近づけて動かす。人形はクルクルと回転しながら動く。

## 空き缶でシャトル・キャッチ

A：フェライト磁石の底に折りたたんだティッシュペーパーなどをあて、それらをティッシュペーパーで包み、セロハンテープで留めたもの

B：缶詰の空き缶

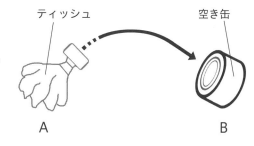

ティッシュ　　　空き缶

A　　　　　　　　B

### 遊び方

　２人で行う場合、２人とも空き缶Ｂを持つ。

　１人はバドミントンのシャトルコックのような羽根Ａを持ち、ふう〜んわりともう１人の方に投げあげる。もう１人は空き缶Ｂの底でキャッチする。これを交互に、羽根を落とさないように遊ぶ。

## ぴょんぴょんバッタ

　チャック付きポリ袋に、少量の鉄粉（または砂鉄）を入れる。ゴム製の粘着つきマグネットシートの上に、見やすくするために白い紙を置く。その紙の上にポリ袋を置き、袋を引っ張るようにすると、右の上の写真のように鉄粉（砂鉄）がしましまの模様を作る。これは、マグネットシートの極が、NSNSNSと交互に並んでいるからである。

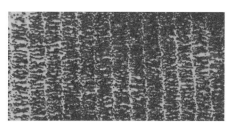

鉄粉（砂鉄）がしましまの模様を作る

　この並び方を利用し、マグネットシートを写真のような方向に置いた場合、縦1cm、横18cmのものと、縦1cm、横3cmの長短2つの長方形を切り取る。

　左のような大きさの画用紙に、バッタ（ウサギ、カエル、カンガルーなどでも）の絵を描いて、太い線で切り取る。

　絵の裏側、2cm×3cmの長方形の部分にスティックのりを塗り、貼り合わせる。周囲の余白を適当に切る。はみ出た5mm×1cmの

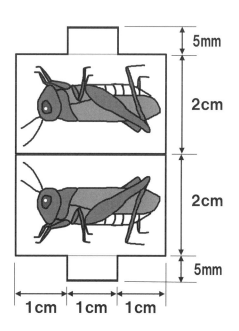

5mm

2cm

2cm

5mm

1cm　1cm　1cm

部分は外側に折り返し、両面テープを貼っておく。

ケント紙（腰が強いので。なければ画用紙で）で、1 cm×5cm 方形を切り出す。バッタの絵の両面テープから剥離紙をはがし、長方形のケント紙片面の端に貼りつける。

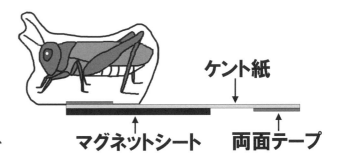

そのバッタの絵と反対の面のバッタ側に、1cm×3cm のマグネットシート、反対側の端に 1cm×1cm の両面テープを貼る（右図）。

1 L の牛乳パック（あるいは工作用紙）から、大小 2 つの大きさの長方形を切り出す。小さい方は、隣り合った 2 面を使う。7cm× 5cm が 2 つつながった形で切り出す。

裏の白い部分を表にし、離れた部分を布ガムテープなどで留めて筒状にする。大きい方は、パックの 1 面 6cm×19cm を切り出す。両方とも横に中心線を引く（下図）。

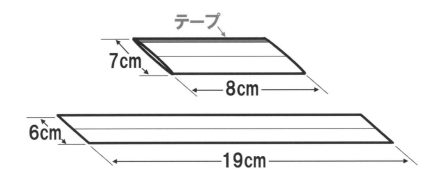

小さい方の筒状の中心線上、端から 1cm ほどの所に、バッタを貼りつける。大きい方の中心線上に、長いマグネットシートを貼りつける。筒状の紙に、大きい紙を差し込めばできあがり。

紙は白い方が出るようにしているので、クレヨンなどで草を描いても楽しい。

**遊び方**

小さい方を片手で押さえ、大きい紙を前後に出し入れすると、バッタがパタパタ音を立てて上下する。

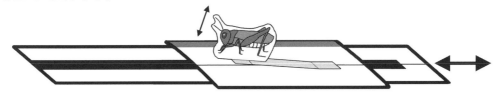

参考：野呂 茂樹さんの HP「しげさんの科学工作＆マジック」の「タッピング・リス」

# 「じしゃく」は鉄さがしの学習に！

　ピカピカ光っていて、たたいたら広がり電気をとおす金属。その学習の後に「金属の中でも鉄だけが磁石に引きつけられる」ことを学ばせると、普段の生活の中では金属＝鉄という認識が崩され、（鉄は金属の中でも特別だぞ）と、金属への理解も深まる。

　さらにその性質を利用し、磁石を持って鉄さがしをする。見ただけではわからない、かくれている鉄もさがせる。生活の中に、鉄製品が多いことにも気がつく。続いて磁石とは、そのほかにどんな性質をもつものか調べる学習をする。

　磁石は子どもたちにとって魅力あるおもちゃである。その性質を知って、さらに楽しくなる。永久磁石を扱うのは、３年生だけであるから、楽しい活動をとおして、大切に学ばせたい単元の１つである。

# 11. 音が出るとき

## 【目標】

(1) 音が出ているときは、物がふるえて（振動して）いる。

(2) 音のふるえ（振動）は、いろいろな物がふるえて（振動して）、伝わる。

## 【指導計画】　7時間

(1) 紙笛を作り、音を出してふるえを感じよう。 ……………………………………1時間

(2) たてぶえ型紙笛を作り、音が出たときのふるえを見てみよう。 …………1時間

(3) 輪ゴムのこと（琴）を作って、音のもと（ふるえ）を見てみよう。 ………1時間

(4) いろいろな楽器で音を出して、ふるえているところを探してみよう。 ……1時間

(5) 風船電話を作って、声が伝わることを確かめよう。 ………………………1時間

(6) 声は糸を伝わって、離れた人に聞こえるか確かめよう。 …………………1時間

(7) 針金でも音は伝わって聞こえるか確かめよう。 ……………………………1時間

## 【事前準備】

★　必ず、事前に教師自身が工作をし、音を出せるようにしておく。どの単元でも、下調べや事前実験などの教材研究が必要だが、この単元では教師が音を出して授業が始まる場面があるので、この準備が大事。子どものつまずきの原因もすぐに把握できる。

★　おたよりで、牛乳の1L紙パック（同様の紙パックならジュースなどでも）を、資源ごみに出す前の状態（解体しない）での持参を呼びかけておく。学校に持ってこられない子や失敗したときのために、複数持ってこられる場合はその旨お願いしておく。

★　音楽室の楽器を使う時間（第4時）があるので、音楽担当教師とよく相談しておく。

## 【学習の展開】

### 第1時　紙笛

**ねらい**　音を出し、紙のふるえを感じることができる。

**準備**

・A4コピー用紙を1／4にした紙（1人4枚程度は用意しておく）

## 展　開

① 紙を提示し、「この紙で音を出せるかな？」と問いかける。１人１枚子どもたちに配布し、いろいろなやり方で音を出させて発表させる。

　１度曲げて引っ張る、くしゃくしゃに丸める、紙を指ではじく、破く…など、いろいろ出てくるだろう。

② 「こんな方法もあるよ」と紙笛を取り出し、鳴らしてみせる。

　「やりた〜い！」と声が上がるので、作り方と鳴らし方を教える。

③ もう１枚くばり、紙を山折り、さらに谷折りと、４等分に折り曲げる。

　紙の中央を直径 2cm ほどの円形にちぎり取るか、はさみで切り取って穴を開ける。

### 紙笛の作り方・吹き方

❶ A4 のコピー用紙を１／４に切って、４当分に谷折り山折りに折り曲げる
❷ 紙の中央を 2 cm ほどの円形に切り取る

❸ 穴のある２つの面の谷折りの線近くを中指と人差し指で軽く挟み、口に当てる。
❷ 穴のある２つの面の間をほんの少しに狭め、穴に向かって強く吹く。

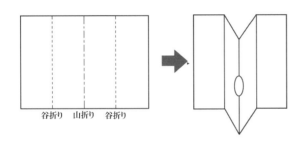

谷折り　山折り　谷折り

向こう側から吹く

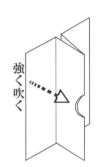

強く吹く

　指と唇に、紙のふるえ（振動）を感じることができる。

④ 「やったこと」を、それぞれの子ども自身の言葉でノートに書く。

### ノートに書いてほしいこと

　紙を折って穴を開け、紙笛を作った。吹いたらピイーッと音が出て、紙がふるえた。

## 第2時　たてぶえ型紙笛

**ねらい**　音を出し、紙のふるえを見つけることができる。

**準　備**

・A４コピー用紙を１／４にした紙（複数枚用意しておく）　・鉛筆　・セロハンテープ

・はさみ

**展　開**

① 「こんな紙笛もあるよ」と、ストロー型の紙笛を取り出し、音を出す。すぐにリード部分のふるえを見つける子がいるだろう。

　　　作り方と鳴らし方を教える。

② 🔲たてぶえ型紙笛の作り方・鳴らし方

❶紙の１つの角から鉛筆を使ってクルクルと丸め、管状にする。残った角をセロハンテープで留める。

❷紙の管の片方に、切り離さない程度に、ぎりぎりまで切り込みを入れる。

❸切り込みを開くと、イカのひれのような形になる。これがリードになる。

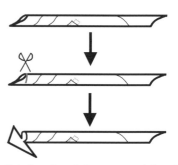

❹穴をふさぐようにリードを軽く起こし、リードと反対側から吸う。

　　音が出て、リードのふるえ（振動）が目に見える。

③ 「やったこと」を、それぞれの子ども自身の言葉でノートに書く。

**ノートに書いてほしいこと**

　紙を巻いてストローのようにした。片方のはしに、はさみで三角を作った。ストローを吸ったら、ブーと音がして、三角の紙がふるえた。

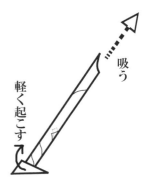

吸う

軽く起こす

## 第3時　輪ゴムのこと（琴）

**ねらい**　輪ゴムのことを作って音を出し、ふるえている部分を見つける。

**準　備**

・輪ゴム（No.16、No.18、No.20）　・１Lの牛乳パック（１人１個）　・ホチキス

・カッター　・はさみ　・鉛筆（または割り箸）

**展　開**

① 「これまでは、吹いたり吸ったりして音を出してきたけど、はじいても音が聞こえるね」と、自分の指にかけた輪ゴムをはじいて音を聞かせる。そして、「きょうは輪ゴムのことを作って音を出してみよう」と、作り方を説明して作らせる。

② 牛乳パックの注ぎ口にあたる部分を、ホチキスで閉じる。

　牛乳パックに穴を開ける。最初にカッターで切り込みを入れれば、あとははさみで穴を開けることができる。穴の形は、長方形などでも可。穴を開けることで、輪ゴムの音が共鳴して大きく聞こえるようになる。

　輪ゴム（No.18）を牛乳パックにかけ、鉛筆を差し込む。

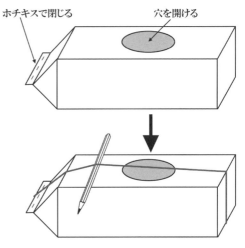

ホチキスで閉じる　　　穴を開ける

③ 指で輪ゴムをはじいて音を出させると、音が出ているときの輪ゴムの振動に気づいたり、牛乳パックを支えている手に振動を感じたりする子がいるので、発表させてみんなで確認する。

　鉛筆を差し込んだ場合、同じ輪ゴムでも鉛筆の右と左で音が違うことにも気づくだろう。鉛筆の位置を変えたり、No.16やNo.20など直径の違う輪ゴムをかけたりして音の違いを感じることもできる。しかし、あくまで"ねらい"は音が出ているときの輪ゴムの振動である。

④ 「やったこと」を、それぞれの子ども自身の言葉でノートに書く。

**ノートに書いてほしいこと**

　牛乳パックでことを作った。輪ゴムをはじいたらピンッピンッと音がした。音がしたとき輪ゴムを見たらふるえていた。牛乳パックを持っている手で、パックがふるえているのがわかった。

## 第4時　楽器を調べよう

**ねらい**　楽器も、音が出ているときはどこかがふるえていることがわかる。

**準　備**

・大太鼓（複数）　・シンバル（複数）　・トライアングル（2人に1つ）　・付箋

**展　開**

① 前時までのノートを誰かに音読させるなどして、吸ったり吹いたり、はじいたり

して音が出たこと、音が出ているときには紙や輪ゴムがふるえていたことを確認する。

② 「楽器も音が出ているときには、どこかがふるえているのかな？きょうは、それを確かめよう」と呼びかける。まずは教師が大太鼓の前に立ち、「この大太鼓はどうやったら音が出るかな？」と聞き、「たたく！」との答えを引き出す。大太鼓をたたいて音を出すと、からだに振動を感じる子もいるだろう。

できれば複数用意して班ごとに調べさせたいが、無理なら教師が大太鼓をたたき、音が出たときにたたいた鼓面がふるえていることをじっくり見たり、軽く手で触れたりして確認させる。強くたたいて大きな音を出すと鼓面は大きくふるえ、弱くたたいて小さな音だと鼓面は小さくふるえることもわかる。

たたいた方と反対側の面もふるえていることを見つける子（第4時末尾のコラム参照）もいるだろうが、「ほんとだね」くらいにして深入りはしない。

③ 「シンバルは、どうかな？」と問い、大太鼓と同じように調べる。

次は演示実験。「こんなこともできるよ」と、シンバルの端に付箋を貼りつける。シンバルをたたくと、付箋が小刻みにふるえて、振動を確認できる。

軽くたたいて小さな音のときと、強くたたいて大きな音のときでは付箋のふるえ方が違うので、振動の大きさが違っていることも確認できる。

④ 次に、できるだけ多くのトライアングルを用意し、たたく子と軽く触れて確かめる子の2人1組くらいに分けて、トライアングルの音が出たときに、トライアングルがふるえていることを確認する。弱くたたいて小さな音が出るときと、強くたたいて大きな音が出るときで、手で感じる振動の強弱が違うこともわかる。

また、しっかり握るように触れてしまい、音が止まることを見つける子もいるだろう。いなければ、「トライアングルの音を止めるにはどうしたらいいかな？」と聞く。「手で押さえればいい」と答えるだろう。普段から楽器に接している子からは、いろいろな楽器名が「○○でもそうだよ」などと出てくる。

⑤ 時間があれば、「ほかの楽器でも、音を出してふるえを見つけよう。」と呼びかけ、探させる。事前に音楽担当教師と、触れていい楽器（手で直接はダメでも、手袋着用ならいいかも含め）等の注意点、振動を確認しやすい楽器を調べておくとよい。

⑥ 「やったこと」を、それぞれの子ども自身の言葉でノートに書く。

**■ノートに書いてほしいこと■**

大だいこをたたいたら、ドンッと鳴って皮がふるえた。シンバルに紙をはってたたくと、ジャーンと音がして紙がふるえたから、シンバルがふるえたことがわかった。トライアングルをたたいて音が出たときに手でさわったら、トライアングルがふるえていた。トライアングルをにぎったら、音が止まった。楽器も音が出るとき、ふるえていた。

## 空気の疎密波（そみつは）

　なぜ、大太鼓をたたいたときに、反対側の鼓面も振動した（ふるえた）のか。

　離れた場所にいる人に、ふくらませた風船を軽く抱くように持たせ、大太鼓をたたく。風船を持っている人は、風船に振動を感じる。太鼓の皮が振動してドンと音が出たのだが、同時に風船も振動したということになる。間に糸などはないが、何が振動を伝えたのだろうか？大太鼓と風船の間にあるのは…そう「空気」である。

　大太鼓の中にあるのも、「空気」である。

　物にはバネのような、「弾性」といわれる性質がある。大太鼓をたたくと鼓面がへこみ、ばちが離れると逆方向に動く運動をきっかけに振動が起こる。物の振動は、その周囲の空気に密度の大きいところと小さいところを交互につくり、疎密波となって耳、さらには脳まで届いて音として認識される。太鼓の鼓面の振動は、こうして私たちの耳に届くが、同時に太鼓内の空気の疎密波は反対側の面も振動させることになる。

　しかし目に見えない空気について理解することは、3年生には困難なので、深入りしないようにする

## 第5時　風船電話

**ねらい**　**風船もふるえて、声（音）を伝えることがわかる。**

**準　備**

・風船（多数）　・木綿糸（2人で2m程度）　・布ガムテープ

**展　開**

① 　のどに軽く指を当てて、子どもたちに「あ〜〜〜」と声を出させる。すぐに「ふるえてる！」と声が上がるだろう。「声も耳に聞こえる音の1つだね。この声を伝えてみようか」と、ゴム風船を取り出す。

② 　ゴム風船をふくらませ、1人の子の耳に当てて、教師が反対側から小声で話す。教師の声が伝わり、「聞こえた！」と反応するだろう。

　　これを見せた後、2人に1個の風船をくばり、みんなでやってみる。

風船を両手でつまみ、何回かいろんな方向に強く引っ張ってから息を吹き込むと、ふくらませやすい。

「しゃべると、風船がふるえてる」と発見する子がいるので、みんなで確かめる。

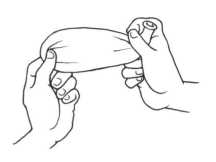

③　教卓の上にたくさん風船を置いておくと、「もう1つ風船ちょうだい。」と持って行って、2個3個とつなげ始める。声が伝わることを確かめたら、間にある風船のどれもが振動していることを確かめさせる。

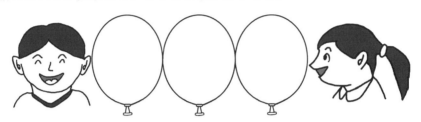

④　遊んでいるうちに、間にある風船が落ちることがあり、そうなると声が伝わらないことを確認する。「2つの風船が離れていても、話が聞こえるようにするには、どうしたらいい?」と問うと、糸電話を思いつく子がいるだろう。そこで木綿糸をくばり、小さくちぎった布ガムテープで2つの風船を糸でつなぎ、電話遊びをやってみる。

このとき、糸がたるんでいたら声が伝わらないことにも気づくはず。また、糸の振動に気づく子がいるかもしれないが、確認は次の糸電話のところで行う。

⑤　「やったこと」を、それぞれの子ども自身の言葉でノートに書く。

**ノートに書いてほしいこと**

のどをさわって声を出したら、のどがふるえていた。声も音の1つだった。風船をふくらまして友だちの耳に当てて話したら、風船がふるえて友だちに声がとどいた。2つの風船を糸でつないで風船電話にした。友だちの声が聞こえた。

## 第6時　糸電話

**ねらい**　声は、糸を伝わって離れた所で聞こえることがわかる。

**準　備**

・紙コップ（1人1個）　・ゼムクリップ（小：1人2個）　・目打ち（1人1本）

・金属製スプーンと太いくぎ（2人1本）　・木綿糸（1人1m、④では2人に50cm）

**展　開**

① 「この間は風船で糸電話をやったけれど、きょうは紙コップを使って糸電話を作ってみよう」と呼びかけ、作り方を教える。

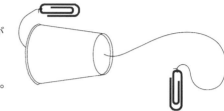

┌─────────────────┐
│ **糸電話の作り方** │
└─────────────────┘

❶紙コップを机の上に立て、底の中央に目打ちで、糸がとおるくらいの小さな穴を開ける。
❷穴に木綿糸をとおし、ゼムクリップに結びつける。
❸木綿糸のもう1つの端も、ゼムクリップに結びつける。

② 最初は、2人1組で遊ばせる。紙コップの底から出ている糸の先のクリップの1番外側を少し開き、もう1人の子のクリップに引っかける。すでに風船電話をやっているので、糸はピンと張って声を伝えることだろう。

　このとき糸に指が触れたりして糸の振動に気づく子がいるので、発表させてみんなで確かめる。糸をつまんでみると、声が伝わらなくなることにも気づくだろう。

③ 特に指示しなくても、クリップ同士を引っかければいいだけなので、人数を増やして遊び出す（右図参照）。

④ 最後に2人1組にして、50cmの木綿糸と金属製スプーン、大きなクギをくばる。

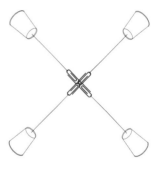

　スプーンを大きなクギなどでたたくと、コンッと音がしてすぐ聞こえなくなる。

　ところが、右図のようにスプーンを木綿糸でつるし、反対側の、指でつまんでいる端を耳の穴入り口まで近づけてから、大きなクギでたたくと澄んだ音が長く聞こえる。糸をつまむと音は聞こえなくなるが、指を放すとまた音が聞こえてくる。

　確かに糸は小さな音でも伝えていることがわかる。

⑤ お楽しみ会などの時間があれば、木綿糸を長くして、教室の端から端までの糸電話遊びをするのも楽しい。

⑥ 「やったこと」を、それぞれの子ども自身の言葉でノートに書く。

## 第7時　金属も音を伝える

**ねらい**　音のふるえは糸だけでなく金属も伝わって聞こえることがわかる。

**準備**

・紙コップ（1人1個）　・ゼムクリップ（小：1人2個）　・目打ち（1人1本）
・細い針金（エナメル線など）

**展開**

① 「前の時間は、糸で人の声がびりびりと伝わってきて聞こえてきたね。では、糸ではなく、この固そうな針金でも、ふるえが伝わってきて、音が聞こえるだろうか。」と聞く。

　前時のスプーンの実験など、金属をたたいた経験などから、金属でも音を伝えると考える子がいるだろう。少し聞いた後、すぐに作り始める。

② 前時の①で作った糸をエナメル線または細い針金に変えた物を作り、同じように遊びながら確かめさせる。

③ 「木でできた机（天板）も音を伝えるかな？」と声をかけ、天板に耳をつけて離れた端の方を鉛筆などでたたいて確かめる。その後、校庭の鉄棒でも鉄棒の端を軽くたたいた音が伝わるか離れた部分に耳をつけて調べたり、体育館の床にボールをついたときの音を離れた床に耳をつけて確かめたりする。

④ 「やったこと」を、それぞれの子ども自身の言葉でノートに書く。

**ノートに書いてほしいこと**

　紙コップと針金で、針金電話を作った。針金でも糸と同じように友だちの声が聞こえた。友だちが「ア〜〜」と言っている時に針金をつまんだら、声が聞こえなくなった。鉄棒に耳をつけていたら、先生が棒でたたく音がひびいて聞こえてきた。体育館のゆかに耳をつけて、遠くにいる先生がボールをついたらボンッボンッと音が聞こえた。

**参考図**

　「自然のかんさつ」でも、風の音、鳥や虫の声などの"音さがし"にも取り組ませたい。また、自然観察の際に草笛などを作って"音とふるえ"を感じるのも楽しい。

**空きビン笛**以降は、「音が出るとき」の発展教材数点の紹介である。

## サクラ笛

　桜吹雪のころ、クラスみんなで楽しんでもいい。
サクラの花びらを両手で横につまんで持ち、切れ
ない程度に引っ張りながら強く吹く。

## 葉っぱ笛

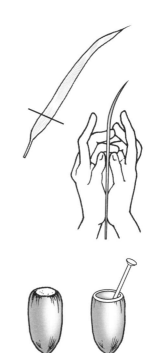

　夏の自然観察のときに、クラスで取り組んでも
いい。イネ科などの細長い葉を適当な長さに切る。
両手の親指の腹と親指の付け根（母指球：ぼしき
ゅう）で葉をはさみ、ピンと張って葉の側面（左
図×印）を強く吹く。

## どんぐり笛

　秋にはドングリ拾いをして、笛を作って楽しみ
たい。

　どんぐりの矢印部分をコンクリートまたは粗め
の紙やすりでこする。中身をくぎなどでほじくり
出す。

　穴の側面に唇をつけ、反対側めがけて息を吹き
付ける。

## 空きビン笛

　空きビンの口に下唇を当て、向かい側の縁に向
かって息を吹きつける。

　音が出ると、手にビンのふるえを感じる。

　ビンの大きさを変えたり、中に水を入れたりし
て音の変化を感じることもできる。同じ大きさの
ビンに入れる水の高さを変えてもおもしろい。

ここを吹く

## 空き缶笛

　空き缶のプルタブに、半分の長さに切った紙ス
トロー（6mm径）を乗せて、穴の反対側を狙っ

て息を吹く。

　うまく音が出なければ、紙ストローを前後にほんの少しずつずらしたり、プルタブの引き起こし角度を変えたりして、調整する。

　きれいな音が出たら、紙ストローを布ガムテープでプルタブに留める。手でストローと缶を押さえるだけでも、じゅうぶんに楽しめる。また、音が出たときの缶のふるえを感じることもできる。

　この空き缶笛を使った工夫もできる。
まずは、空き缶の底に大きなくぎでたくさん穴を開ける。

　上部を切り取った牛乳パックなどの容器に、水を入れる。

　空き缶の底を手のひらでふさいで音を確かめながら紙ストローをプルタブに布ガムテープで留め、水の入った容器に、底の方から沈める。

　紙ストローを吹いて音を出しながら、空き缶を上下にすると音の高低の変化を楽しめる。

## ゲコゲコかえる

　糸電話で作った糸つき紙コップを利用して、楽しい遊びができる。

　ぞうきんなどの布を水で濡らして絞り、片手で紙コップを持ち、もう一方の手で糸を挟んだぞうきんを引っ張ると、動物の鳴き声のような音がする。

　画用紙に紙コップの口を円形になぞり、カエルに聞こえたならカエル、イヌに聞こ

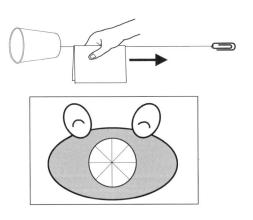

えたならイヌの絵を描く。円形の部分をカッターなどで放射線状に切り込みを入れ、紙コップの底から差し込んで楽しむこともできる。糸もたこ糸などにしてみたり、紙コップも牛乳パックの上を取り除いたものや段ボール箱に取り替えたりして、音の変化を感じることもできる。

**単元のまとめ**

# ふるえ（振動）を意識した「音」の学習を！

音は私たちの周囲に満ちあふれている。

何か物が振動し、その振動が空気の振動となって伝わり、外耳奥の鼓膜、中耳を振動させ、内耳で電気信号となって脳に伝わることで、私たちは音として認識する。物には力を加えるとひずみが生じ、力を加えるのをやめると元に戻るというバネのような性質＝弾性がある。だから、物に何か力が加わったときに振動が起きる。

このような物質世界の入り口となる音の学習は、小学校でも必要な学習である。そして、たたいたり触ったり全身で振動を感じたりする音の学習は、小学校低〜中学年にこそ相応しいものである。クラスの友だちと知恵を出し合い、夢中になって音の出る物を作って、試して工夫を重ねる。そのことをとおして、音が出ている時は物が振動していることを、全身を使って感じることができる時期だからだ。

3年生では音とふるえ（振動）を、五感をとおして認識してほしいし、音がいろいろな物を伝わる事実もつかんでほしい。

つけ足せば、5年生でも「ふりこ」を振動として学習し、音との関係をしっかり身につけて中学校の学習につなげさせたい。

なお、これまではプラスチックストローを使って授業を行ってきた。工作も容易で音と振動の関係がとらえやすく、発展性もあった。ところが近年、プラスチックによる海洋汚染が世界的に問題となっている。少なくとも使い捨てプラスチックは環境教育の面からも見直した方がいいだろうし、そのうちプラスチックストローを手に入れられなくなることも考えられる。本当に安全な生分解性プラスチックによるストローが普及したらまた教材として利用するとして、当面はプラスチックストローを使わない学習展開を考えてみたい。


## 生分解性プラスチックによるストローが普及したらやってみたいストロー笛

### ストロー笛

① ストロー（6mm径）の先端をつぶし、はさみで三角形に切ってリードを作る。

② リードの根本部分（右図の楕円形部分）をツメでしごいて柔らかくする。リ

ード部分を口にくわえ、楕円形部分を唇で押さえて強く吹く。

③　うまく音を出せるようになった子から教えてもらいながら、鳴らせる子を増やす。

④　笛の音さえ出せれば、何度も失敗してリード部分を切り離して作り直し、短くなったストローの音は高いことや、リード部分がふるえていることなど、いろいろ気づくことができる。

⑤　さらには、ストローの反対側を口にくわえて、上の図の楕円形の部分を軽く指で押さえて息を吸うと、ブーッと音が鳴る。このときリードの振動が目に見えるので、しっかり確認する。教師が鳴らして、子どもたちに振動を観察させる。

## ストロー笛ラッパ

①　右の図のように、A5 ほどの紙にストロー笛をセロハンテープで留め、くるくるとストローを回して紙を巻く。巻き終わりを、セロハンテープで留める。

②　ストローを口にくわえて吹くと、大きな音が鳴る。大きな紙を使って、さらに大きなラッパを作る子も出てくるだろう。大事なのは、ラッパ部分の振動。このことに気がついた子がいたら発表させ、クラスみんなで確認する。

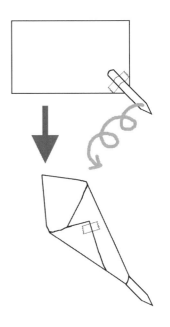

# 12.　物の重さ

## 【目標】

(1) すべての物は体積と重さをもつ

## 【指導計画】　14時間

## 【学習の展開】

### 第1時　体積という量

**ねらい**　**物のかたまりの大きさを「体積」という。**

**準　備**

・石　・木片　・粘土（それぞれ大小1セット）　・ビーカー（300mLを2本）

・三角フラスコ　・メスシリンダー（500mLを2本）

**展　開**

① 　石を2つ見せながら、「2つの石があります。どちらのかたまりが大きいでしょう？」と発問する。

　「体積」とは目で見てわかる量であることを体

験的にとらえさせる。まずは最もわかりやすい固体の体積を扱う。「左の方が大きい」と言ってから、同様に木片や粘土など同じ物で大きさが違うものを質問する。違うものを使うと「重さは右の方が重そうだ」など、重さと体積を混同した発言が出てしまい、混乱のもとになることがある。

② 水の入ったビーカーを2つ見せながら「どちらの水のかたまりが大きいでしょうか？」と問いかける。

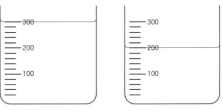

　次は液体の体積を扱う。あえて目盛りを見せてもよい。「左の方が大きい」という意見とともに、「左は300でしょ。右は200だから、300の方が大きい」と数値で言う子も出てくる。体積は数字で表されることにもつながってくる。

③ 「このように目で見てわかる物のかたまりの大きさを、体積と言います」と体積の説明をする。

④ 「やったこと」を、それぞれ子ども自身の言葉でノートに書く。

**ノートに書いてほしいこと**

　石は見た目で左の方が大きかった。ねん土は見た目で右の方が大きかった。水は300と200で300の方が大きかった。目で見てわかるかたまりの大きさのことを体積という。

⑤ ビーカーと三角フラスコに水を入れ、質問する。「どちらの水の体積が大きいでしょう？」

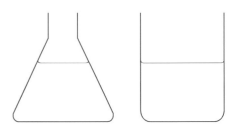

　「三角フラスコの方が太いから、三角フラスコに入っている水の体積の方が大きいのではないか」など、さまざまなことを言うが、「同じ大きさのビーカーに入れればよい」という考えが出てきたら、次の展開に進む。

　また、「体積」という言葉を展開③で学習しているので、使わせるようにする。子どもたちは「水の量は……」などといった言葉を使いがちである。その都度「水の体積のことだね」と話し、言い直しをさせて、使えるようにする。

⑥ 500mLのメスシリンダー2本にそれぞれの水を注ぎ入れて比べる。

　まずは水位を見てどちらの方が体積が大きいか、見た目で判断させる。次にメスシリンダーの目盛りを読む。200mLと300mLだから300mLの方が体積が大きいというようにし、体積はmLで表されることを説明する。

⑦ 「やったこと」を、それぞれの子ども自身の言葉でノートに書きたすようにする。

つづきで、三角フラスコとビーカーに水をいれたけど、どちらの体積が大きいかわからなかった。だからメスシリンダーを出して、水を入れかえた。そしたら三角フラスコの方が多くて 300 mL でした。ビーカーの方はメスシリンダーに入れかえたら 200 mL でした。

## 第2、3時　紙の量が多いのはどちらでしょう。

### ねらい　物の量の大小は、重さでもわかる。

### 準　備
・紙束（A4の1／4の大きさの紙束を、1つは500枚と510枚）
・てんびん（てこ実験器）　・1時間目で使った石、木片、粘土など（最小1セット）

### 展　開
①　紙束2つを見せて「紙束が2束あります。紙束の量が多いのはどちらの束でしょう？体積でわかるかな？」と質問する。

　ここでの質問では「量」という言葉を使うことで、「体積」に限らないことを暗に示唆する。紙束は500枚と510枚という微妙な違いなので、体積（見た目）では判断できないということになる。「数えてみたら？」「重さではかったらどうか？」という言葉が子どもたちからでるとよい。

②　てんびんではかる。

　てんびんにのせると、510枚の方に傾くことを見せる。「○の方が量が多い」という声が挙がるが、なかには半信半疑の子もいる。特に「数を数えてみればわかる」といった子どもたちは、重さで本当に量の多少がわかるのか、疑問もあるだろう。そこで「数えて確かめてみよう」とする。

③　数える。

　グループで手分けして数える。すると500枚と510枚で510枚の方が重いことがわかる。数えている途中に「数えるの大変！重さの方がいい！」という発言がでるだろう。そうした発言をとり上げて、「重さでも量の大小がわかる」ことを確認する。

④　「やったこと」を、それぞれの子ども自身の言葉でノートに書く。

紙束の量は重さでわかった。510枚の方が重かった。

## 第4時　直接比較

**ねらい**　物の重さの大小は、手で持って比べることができる。
　　　　手で比べられない物も、てんびんを使うと重さの大小がわかる。

### 準　備

・異なるメーカーの単一乾電池（それぞれのメーカーで1個ずつ）　・消しゴム

・鉛筆　・はさみ　・のり　・教科書　・てんびん

・体積が異なるが、重さが同じ物　　┐
・体積が同じだが、重さが異なる物　┘この2つは教科書にのっているので理科室にある。

### 展　開

① 物の重さを手で持って比べられるでしょうか？と質問し、次の活動とする。

　　ア：まずはいろいろな物の重さを手で持って比べる。

　　　「こっちの方が重い」など、手で持った感覚で重さの大小を表現するだろう。

　　　5分ほど取り組ませ、「重さは手で持ってわかる量」であることを確認する。

　　イ：メーカーの違う単一乾電池の重さを手で比べる。

　　　「この乾電池はどちらが重いかな？」と子どもたちに質問し、何人かに手でもっ
　　　て比べさせる。「わからない」ということになるだろう。

② 手で重さを比べてみても、どちらが重さが大きいかよくわからない時には、どう
　したらいいかな？」と質問する。

　　前の時間の経験から「てんびんを使えばいい」という考えが出されるだろう。

③ てんびんに乾電池を乗せて、重さが違うことを確認する。

④ 「やったこと」を、それぞれの子ども自身の言葉でノートに書く。

#### ノートに書いてほしいこと

　○○くんの筆箱とぼくの筆箱を手に持ってみた
ら、ぼくの筆箱の方が重かった。かん電池を2種
類持ってきて、手で持ってみたけどどちらが重い
かわからなかったので、てんびんにのせた。そし
たら重さがちがった。

同じ物で体積が異なる物の重さを比べる

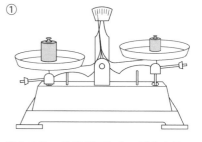

異なる物で体積が同じ物の重さを比べる

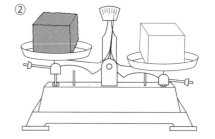

⑤ 　つけたしの実験として次のアとイの実験を行う。

　　① 　同じ物で、体積が異なる物の重さ比べを
　　　する。同じ物の時は体積が大きい方が重い。

　　② 　異なる物で、体積が同じ物の重さを比べ
　　　る。これは体積ではわからず、てんびんに
　　　のせてみて重さの違いがわかる。

## 第５時　間接比較

**ねらい** １つの物を使って、２つの物の大小を知ることができる。

**準　備**

・教科書　・ノート　・てんびん

・単三乾電池（※　事前に次のような予備実験をしておく）

① 教科書と単３乾電池をてんびんに乗せて重さを比べる。

② ノートと単３乾電池をてんびんに乗せて重さを比べる。

③ 教科書とノートのどちらかが単３電池よりも重く、どちらかが単３乾電池より軽いというようにしておく。そうならない場合は単３乾電池を単２電池や単１電池に変えたり、教科書の種類を変えたりする。

**展　開**

① 「教科書とノートではどちらが重いか、乾電池を使って調べられないでしょうか？」と質問する。

② 考えを出し合う。

　①の質問にたいする考えを出すのはなかなか難しい。さまざまな考えが出されることもあるだろうが、「教科書と乾電池を比べて、教科書の方が重かったとして、ノートと乾電池を比べて、乾電池の方が重かったとしたら、教科書の方が重いということ」ということにまとまるように話し合いを進める。

③ 実験する。

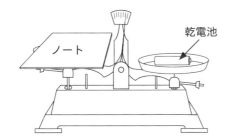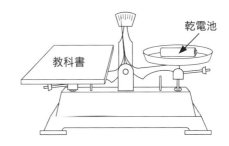

　教科書は乾電池より重く、ノートは乾電池より軽い時、教科書はノートより重いことが直接比較しなくてもわかることを確認する。

④ 「やったこと」を、それぞれの子ども自身の言葉でノートに書く。

**ノートに書いてほしいこと**

　教科書がかん電池より重かった。ノートよりかん電池の方が重かった。だから、ノートより教科書の方が重いことがわかった。

## 第6時　個別単位

**ねらい**　物の重さの大きさがどれくらい違うかは、ゼムクリップや
ビー玉などの数で知ることができる。

**準 備**

・前時で使った物（教科書・ノート）

・クリップやビー玉など個別単位になるものをグループ数用意する

（10グループの場合の例：クリップ（3グループ分）、画鋲、ビー玉、おはじき、

新しい鉛筆、新しい消しゴム、1cm³の立方体、サイコロ）

**展 開**

① 「前の時間に教科書の方がノートより重かったんだね。教科書とノートの重さがど
れくらい違うか調べるには、どうしたらいいでしょう。」と質問する。

「重さをはかればいい」といった発言も出てくるだろうが、まだ重さは使えないこ
ととする。小さな物でいくつ分の重さをはかればいい（例にクリップ30個分な
ど）といった意見が出てくる。

② 実験をして調べよう。

各グループに個別単位になる物（準備にあるような物）をくばり、教科書とノー
トそれぞれが個別単位になる物がいくつ分かを調べる。

③ 自分の身のまわりにある物が、個別単位になる物いくつ分の重さかを調べる。

筆箱やはさみなど、身近にある物が個別単位いくつ分かを調べ、ノートに記録さ
せる。この記録は次の時間の「gという普遍単位が必要」という学習の導入に使わ
れる。

④ 「やったこと」を、それぞれの子ども自身の言葉でノートに書く。

**ノートに書いてほしいこと**

教科書はサイコロ25個分で、ノートは21個分だった。自分のはさみはサイコロ3個
分だった。

## 第7時　普遍単位の導入

**ねらい**　物の重さの大きさを表す単位がある。

**準 備**

・1円玉（たくさん。1000枚以上あるとよい）　・てんびん

**展 開**

① 前回の授業の最後には何の重さをはかったか発表してください。

「消しゴムは画鋲3個分」「筆箱はサイコロ23個分」「私の筆箱はクリップ230個分」「ぼくの筆箱はクリップ240個分」といったように発表させる。発表を聞き終えたところで「ということは、240個分の筆箱が1番重いんだね」と言うと、「それじゃだめ！」という声がすぐに上がる。「なぜだめなの？」と聞くと、クリップとサイコロでは重さが違う。同じクリップを使うようにしなければ」などという意見が出る。「単位をそろえなければならない」ことを確認する。

② 1円玉を使って重さを調べる。

ホチキスやはさみ、消しゴムなどが1円玉何個分かを調べる。

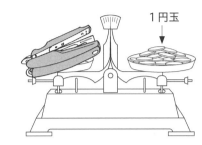

③ 1円玉1枚＝1gであることを教える。

みんなが同じ物を使えば、比べることができることを確認した後、「1円玉1枚＝1g」であることを教える。ホチキスは1円玉○枚だから○g、はさみは1円玉△枚だから△gと表すことを確認する。

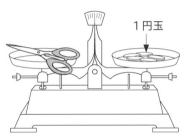

④ 「やったこと」を、それぞれの子ども自身の言葉でノートに書く。

**ノートに書いてほしいこと**

クリップ何個分、画びょう何個分とかだと、重さを比べられないので、みんな1円玉を使って調べた。1円玉は1枚で1g。だから10枚分で10gということがわかった。

## 第8時　はかりで物の重さをはかる

**ねらい**　はかりで物の重さの大きさをはかることができる

**準備**

・ばねばかり（100g）　・台ばかり（1000g）　・上皿てんびん

・ポリ袋　・1kg以下のいろいろな物

・粘土（各グループ500gくらい）

**展開**

① いろいろな物をはかりではかってみましょう。

ア：ばねばかりで100g以下の物の重さをはかる。（右写真）

イ：台ばかりで1000g以下の物の重さをはかる。

ウ：上皿てんびんで100g以下の重さをはかる（目盛りはないが、分銅を使ってはかる）

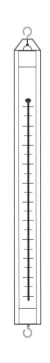

② 300g の粘土玉を作ろう。

　　粘土を使って○ g の粘土の塊を作る。何回かやることで、だいたいどのくらいという感覚が身に付いてくる。

③ 「やったこと」を、それぞれの子ども自身の言葉でノートに書く。

**ノートに書いてほしいこと**

　はじめにばねばかりを使いました。えんぴつは5ｇでした。次に台ばかりで筆箱をはかったら、500ｇでした。次に上皿天びんでホチキスの重さをはかりました。分銅を重い物から順にのせると、130ｇでした。次に 300ｇ のねん土玉を作った。最初はたりなかったから、ねん土を少しずつたしていって 300ｇ になった。


## 第9時　kg という単位

**ねらい**　**1 kg という単位がある。**

**準　備**
・ばねばかり（100g と 7 kg）　・台ばかり（2 kg と 4 kg　グループ数)
・水を入れた 500mL のペットボトル 1 本
・水を入れた 1000mL のペットボトル 1 本　・水 1 L
・1 kg 以上ある物（ランドセルなど）　・1 kg の粘土玉

**展　開**
① 500mL のペットボトルに水がいっぱいに入っています。この重さをはかってみましょう。

　　台ばかり（2 kg）にのせる。約 550 g くらいになる。

② 「今度は 1000mL のペットボトルに水がいっぱいに入っています。この重さをはかってみよう。」

　　台ばかり（2 kg）にのせる。1120g

③「ランドセルの重さをはかってみよう。はじめは空のランドセルをはかります。次に教科書など全部入れている物をはかりましょう。」

　　グループごとにはからせる。2 kg の台ばかりではかりきれない場合や 4 kg の台ばかりではかるようにする。はかった物とその重さを記録させ、発表させる。

④ kg の単位を教える。

　　「1000 とか、2000 とか大きい数になってしまいました。大きな数になると不便なので、1000 g を 1 kg としました。」と説明し、1 kg の粘土玉を見せる。1120g の物は 1 kg120g であることを教える。

⑤ 「やったこと」を、それぞれの子ども自身の言葉でノートに書く。

　今日は重いものをはかった。１Ｌのペットボトルに水を入れたものは1120gで、1000g
が１kgだから、１kgと120gということがわかった。

## 第10時　物の変形と重さ

**ねらい**　　物の形が変わっても、重さは変わらない。

**準　備**

・台ばかり　・粘土　・上皿天びん　・袋入りせんべい

**展　開**

① 丸めた粘土を台ばかりに乗せて、重さをは
かる。(500g)

② 課題を出す。『丸まっている粘土を棒のよ
うに伸ばすと、重さは小さくなるかな？大き
くなるかな？それとも変わらないかな？』

③ 自分の考えをノートに書く。

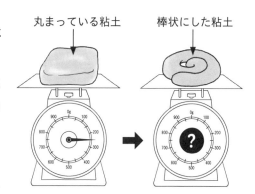

丸まっている粘土　　棒状にした粘土

　ここで「自分の考え」をノートに書くこと
が初めての場合は、「あると思うか、ないと思うか、迷ったりわからなかったりする
か、を書いてその理由も書く」ように話をする。

④ 自分の考えを出し合う。

　重さは小さくなると考えている人数、重さは大きくなると考えている人数、わか
らない・迷っている人数を黒板に書く。そしてわからない子や迷っている子どもか
ら考えを発表させる。その後人数の少ない考えの子から発表させ、多くの子が考え
ている子たちが最後に発表するようにする。

⑤ 人の意見を聞いて考えたことをノートに書く。

　考えを出し合った後に、人の意見を聞いてなるほどと思ったことや、考えが変わ
った理由などを書くように話をする。

⑥ 実験する。

　丸い粘土を伸ばし、棒状にしたものをまた台ばかりに乗せる。変わらないことを見
せる。

⑦ 「やったこと」を、それぞれの子ども自身の言葉でノートに書く。

　500gの丸いねん土を棒のようにしても重さは変わらなかった。

⑧ つけたしとして、袋入りのせんべいを出し、「この袋入りのせんべいの重さは○g
です。細かく砕いたら、重さはどうなるかな？」と質問する。

　「袋から出ていないんだから変わらない」という意見とともに、感覚的に「細かく
なったから軽くなった」や「数が増えたから重くなった」などの意見が出されるだ
ろう。

⑨ 実際にやってみると、重さは変わらない。

　「袋の中から出てないから重さは変わらないんだ」といったことをつぶやく児童が
いるだろう。そうした発言をとりあげ、確認する。

⑩ さらにつけたしとして、体重計を出す。体重計に乗って、片足立ちをしたり、力
をいれたりしても体重は変わらないことを確かめる。

⑪ 「やったこと」を、それぞれの子ども自身の言葉でノートに書く。

### ノートに書いてほしいこと

　ふくろに入ったせんべいを粉々にしても重さは変わらなかった。体重計の上にのっ
て力を入れたりしても重さは変わらなかった。


## 第11時　小さな物に重さはあるか？

**ねらい**　どんな小さな物にも重さがある。

**準 備**
・上皿天びん　・ホチキスの針
・ストロー天びん（※下記参照）

### ストロー天びんの作り方

❶紙ストロー（6mm径）の中心と両端
　から1.5cmの場所に印をつけておく。

❷図のように紙ストローの両端
　をがそれぞれ1.5cmほどはさ
　みで切り込みを入れ、しっかり
　折り曲げて開く。
　これが皿となる。

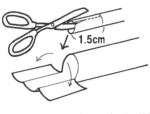

1.5cm

※　乗せたホチキスの針滑り落ちない
　よう、下図のように端を5mmほど
　折り上げるとよい。

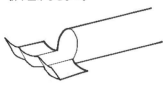

❸ ❶でつけた中心の線を目安に、
　ストローの径の中心よりやや上
　にまち針を刺す。

**中心より少し上に刺す**

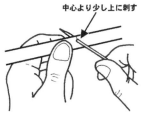

ストロー天びんの作り方動画
（教師向け）

❹針先をガムテープではさむ。

❺乾電池の台に取りつける。
　単2乾電池に、ゼムクリップを引き伸ばし
てガムテープでとりつける。これに④の天び
ん棒を図のようにセットすれば完成。

※ ストローが水平にならない場合細かく切っ
　たセロハンテープを、上がっている方に貼っ
　て調整する。このとき、"このあたり"と思
　う部分に切ったテープを伸ばしたままスト
　ローの上部に軽く載せ、左右に動かして調整
　する。うまくつり合ったところで初めて、
　テープをストローに巻きつける。

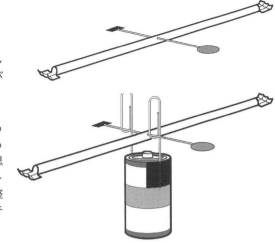

## 展　開

①　上皿天びんに乾電池を乗せると、上皿天びんが傾くことから、重さがあることが
　わかる。

②　上皿天びんにホチキスの針1本をのせる。しかし上皿天びんが動かないことを見
　せる。

③　課題を出す。『ホチキスの針1本には重さがないのだろうか』

④　ノートに課題を書いた後、自分の考えを書く。

⑤　自分の考えを出し合う。
　　「上皿天びんが動かなかったのだから、重さはない」という考えと「ホチキスだっ
　て集まれば重いって感じるのだから、重さはあると思う」という意見が出るだろう。

⑥　人の意見を聞いて考えたことをノートに書く。

⑦　ストロー天びんを出し、ストローの皿の部分にホチキスの針をのせる。するとス
　トローが傾くことから、ホチキスの針1本にも重さがあることをとらえさせる。
　　ストローが傾くところを見せると「先生、髪の毛は？この消しゴムのカスは？」
　など、さまざまな小さな物を出してくる。その都度やってみてストローが傾くこと
　を見せる。
　　また、この授業が終わった後も教室にストロー天びんを置いておき、自由に小さ
　な物に重さがあるか確かめられるようにしておくとよい。

⑧　「やったこと」を、それぞれの子ども自身の言葉でノートに書く。

### ノートに書いてほしいこと

　ストロー天びんにホチキスの針をのせたら、ストローがかたむいた。ホチキスの針
1本にも重さがあることにおどろいた。

### 第12時　加法性

**ねらい**　物の重さは足し算ができる。

**準　備**

・食塩　・黒ゴマ　・粘土　・カルピス　・水　・2Lのペットボトル

・上皿天びん・台ばかり（2kg）

**展　開**

① 固体の足し算

　　20gと10gの粘土玉を作り、「この2つの粘土の球を合わせると、重さは何gになるでしょう？」と質問する。「20g＋10gで30gになる」と多くの子が答えるが、「粘土玉が1つになったら、大きさが小さくなったから軽くなる（大きくなったから重くなる）」といった発言も出る。

　　実際に目の前でやってみると30gになることが確認される。

② 粉体の足し算

　　「30gの食塩に10gの黒ゴマを混ぜます。何gになるでしょう？」と質問する。粘土玉が足し算できるため、ほとんどの子が「足し算ができるだろう」と考える。そこで「自信ある？」と聞いてみると、「ちょっと不安」という子が出てくる。理由を聞くと「粉だから隙間みたいなのがあるからどうなのかなと思ってちょっと不安」などといった話も出てくる。実際にやってみると40gになることが確かめられる。

③ 液体の足し算

　　ア：2Lのペットボトルの重さをはかる。（30g）

　　イ：1Lの水の重さをはかる（1000g）

　　ウ：カルピス500mLの重さをはかる（600g）

　　エ：「全部で何gになるでしょう？」と質問をする。「30g＋1000g＋600g＝1630g」と子どもたちは答える。実際にやってみると1630gになることを確かめる。

④ 「やったこと」を、それぞれの子ども自身の言葉でノートに書く。

**ノートに書いてほしいこと**

> ねん土玉も黒ゴマと塩も、カルピスと水も、全部足し算することができた。

### 第13、14時　金魚の体重をはかるには？

**ねらい**　物の重さは、物が出た分だけ小さくなる。

## 準　備

・体重計　・台ばかり（1kg）　・水の入った500mLのペットボトル

・水の入ったビーカーに金魚を入れておく　　・水だけが入ったビーカー

・dLマス（算数教具室にある）

## 展　開

① ペットボトルの水を1dL（100mL）取り出すと、ペットボトルの水はどうなる
だろう？と質問する。

　「1dL分の水の重さが減ると思う」という発言がでたところで、すぐに実験をする。

　ア：はじめにペットボトル全体の重さをはかる。

　イ：100mLマスに1杯分入れて、水を取り出して、ペットボトルの重さをはかる。

　　「ペットボトルは100g軽くなったね。ということは1dLの重さは何g？」と

　　質問し、100gであることを確認する。

② 「では、今日の課題です。このビーカーに入っている金魚の体重を知りたい。どう
したらよいでしょう」と課題を出す。

③ 自分の考えをノートに書く。

④ 考えを出し合う。

　「金魚を捕まえて、台ばかりの載
せれば体重がわかるけど、死んじ
ゃうかもしれない」のように、は
かり方に迷う子どもの発言が多く
出る。そのなかで、①で行ったこ

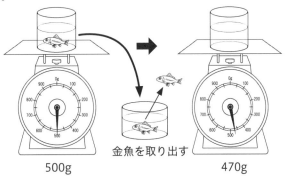

金魚を取り出す

500g　　　　　　　　　　　470g

とを使って考え、金魚を別の水槽にうつして、それで軽くなった分が金魚の体重な
のではないか」といった考えを引き出す。そうした考えをもっている子を、「自分の
考え」をノートに書いている際にピックアップしておくとよい。

⑤ 確かめる。

　金魚と水が入ったビーカーごと台ばかりに乗せて重さをはかる。その後網で金魚
を取り出して別の水の中に入れる。水だけになったビーカーを台ばかりに乗せると、
軽くなった分が金魚の体重であることがわかる。（50g軽くなったら、金魚の体重
は50gである）

⑥ 「やったこと」を、それぞれの子ども自身の言葉でノートに書く。

### ノートに書いてほしいこと

　金魚が入ったビーカーをはかったら500gだった。金魚を別の水そうに移して、金
魚のいないビーカーをはかったら470gになっていた。だから金魚の体重は30gだと
いうことがわかった。

⑦　つけたしとして「おしっこが出た量が何gかを調べよう。どうやって調べたらいい？」と聞くと、「今体重を量って、おしっこに行って、もう1回体重計に乗って、軽くなった分がおしっこの量だ」という考えが出されるだろう。すぐにトイレに行ける子がいればやってもらう。

　　その後も体重計を置いておき、それぞれの子どもができるようにしておく。
⑧　「やったこと」を、それぞれの子ども自身の言葉でノートに書く。

**ノートに書いてほしいこと**
　金魚がいなくなって軽くなった分が金魚の体重だった。

**参考**
　「自然のかんさつ」の発表でも、重さに関わる発表がなされた。
●給食を食べる前と食べた後で体重が増えたことから、増えた分食べたのだという発表
●トイレに行く前とトイレに行った後で体重が減った分、出したということ。
●トーストする前と後でパンの重さが軽くなった。ということは、パンから何かが出ていったということ。

**単元のまとめ**
# 「物の重さをはかってみよう」とする子どもたちに

　物の量は、「体積」や「重さ」で表される。体積があれば重さもあり、重さがあれば体積もある。それがすべての物に共通している性質である。

## （1）物の体積

　「空間を占有する（場所をとっている）大きさ」がその物の体積である。見た目で大きな石と小さな石の方が体積が大きいことがわかる。体積は目で見てわかる量でもある。
　物は同じ場所に2つの物が同時に占めることができない。2つの石をそれぞれあふれるほど水が入っているビーカーに入れると、大きな石を入れた方のビーカーからはたくさんの水があふれ出て、小さい石の方は少しの水があふれ出す。これは、それぞれの石がその体積と同体積の水を押しのけたからである。逆に言うと、水は石によって押し出されてあふれ出たのである。1つの物が存在しているところ（ここでは水）に他の物（石）を押し込んだ結果、はじめにあった物（水）が押し出されたのである。
　この性質を使うと、水と置き換えることによって、さまざまな物の体積を調べることができる。はじめは水をあふれさせて、あふれ出た水をメスシリンダーに入れることによって、物の体積を調べるようにする。次に水をあふれさせなくてもメスシリンダーを使えば、水位の上昇分が、その物の体積であることを学習し、物の体積調べを

することができる。体積というと、算数では㎤を使うが、理科的な学習では、水を使うのでmＬを使うこともある。

　３年生でここの単元では、体積とは目で見てわかる量であることを簡単に扱い、体積のある物に重さがあることを体験的にとらえられるようにしたい。

## （2）物の重さ

　教科書では「粘土は形を変えても重さは変わらない」ということを学習する。しかし、これだけでは、理科の中では不十分である。「粘土だけでなく、ほかの物も形が変わっても、重さは変わらない」ことをとらえさせたい。さらに、「物の出入りがなければ、重さは変わらない」こと。そして、どんなに小さな物にも重さがあることをとらえられるようにしたいと考える。そのことをとおして、「物には重さがある」「物の重さは、変形したり、分割したりしても、保存されている」という認識をもたせることが重要である。そして３年生の子どもたちには、物を見た時に「この重さはどれくらいか、はかってみよう」「物が増えた（減った）から重さも変わったかな。はかってみよう」と考え、物にはたらきかけるようになってほしいと考える。

　こうした物の重さについての認識は、物の違いに関わらずどんな物にも当てはまる。空気のような気体も重さがあり、減らしたり増やしたりしない限り、重さは保存される。「物の溶け方」の学習で、「物が水に溶けて、目に見えなくなっても、水と物をあわせた重さはかわらないこと」などは、「物には重さがあり、物の重さは保存される」という学習が前提にあるからこそ理解できるのである。

## 足し算引き算ができるのは当たり前？ (12時間目・13時間目)

「足し算、引き算ができることなんて当たり前なのでは？」職場で聞かれたことがあった。数字になっている物はなんとなく足し算引き算できるように見えるが、実際にはそうではない。

物の量には「体積」と「重さ」があるが、「体積」は足し算引き算ができるでしょうか？　体積を表す単位は mL や cm$^3$ で表される。水 100mL と水 200mL を合わせたら 300mL である。また粘土 10cm$^3$ と粘土 20cm$^3$ を合わせたら 30cm$^3$ になることは周知の事実である。

しかし、アルコール 100mL と水 200mL を合わせると、全体の体積は 300mL にはならない。これはアルコールが水に溶けてしまうことで起きる。また体積 20cm$^3$ の食塩と体積 300cm$^3$ の水を合わせても 320cm$^3$ にはならない。これは水分子の間に溶けた食塩分子やアルコール分子、イオンが入り込むために起きるのである。つまり体積の足し算引き算は、「同じ物同士」の時のみできるのである。いつでもできるわけではないのだ。

では、「重さ」の方はどうだろう。12 時間目の授業で示したとおり、同じ物質同士でも、違う物質同士でも成り立つのである。こうしたことから、「重さ」は物の量の増減を表すのに適した量であることが言えるのである。

5 年生の「物の溶け方」の学習では、水 300g に食塩 10g を溶かした食塩水溶液は何 g になるかという学習がある。重さは足し算ができるので 310g になることを学習することになっている。310g になるということは、物の増減がなかったことを表す。つまり水に溶けて見えなくなった食塩はすべてなくなっていないことを表していることになるのである。

スチールウールを酸素中で燃やすと、燃やす前のスチールウールの重さよりも燃やした後のスチールウールの方が重くなっているのである。このことから何かが付け足されたことがわかる。酸素中で燃やしているので、酸素が付け足されたことが確かになるのである。こうしたことから、重さで足し算引き算ができることは大変重要なことなのである。

# おわりに

　3年生というと、はじめて理科と出会う学年です。子どもたちには、楽しく、わかりやすく理科を学んでほしいと、担任であれば誰しも思うことでしょう。しかし現実には、多忙を極める日々のなかで教材研究の時間もとれず、教科書内容をノートにまとめさせることに終始するような授業もあるように聞きます。「何をどのように教えたらいいのか」、そうした悩みを抱きつつも、解決策を探る余裕もないままに勤務の波に呑まれる毎日…。

　しかしこうした状況にあっても、子どもたちに身につけさせたい基礎的な内容を明らかにし、友だちと学び合う、コミュニケーションのある楽しい学習を創り出す必要があります。"楽しい"といっても、単なる活動の楽しさではありません。いままで何気なく見ていた身のまわりの自然（生物だけではない）が、友だちと教え合い、学び合いするなかで課題を解決して見えてくる喜び、知的な楽しさです。

　本書には、そうした学習を創り出すヒントを詰め込みました。私たち科学教育研究協議会（科教協）の仲間が研究集会やサークルで検討した授業プラン、さらにその実践に基づいた検討を経た研究の成果をまとめました。子どもたちがどのように理解していったか、あるいはどこでつまずいたかをノートの記述や発言記録を読み、発問（課題）はこれでよかったのか、課題の並べ方は子どもたちの認識の順次性に合っていたのかなどを集団的に分析、検討する研究の積み重ねの成果が本書に詰まっていると考えます。

　みなさんの実践に役立ち、さらに充実したものへと前進することを期待します。

　なお、科学教育研究協議会は1954年に設立され、「理科は自然科学の基礎を学ぶ教科」と位置づけ、子どもたちが確かな学力を身につけるように、研究・実践をしてきた民間の研究団体です。「科学教育研究協議会」でキーワード検索していただくと、HPにアクセスできます。トップページの1番下にあるカレンダーには、各地の支部やサークルの活動予定が載っています。どなたでも自由に参加できますので、授業の悩みや相談事があればぜひ近くの集会・例会に参加してください。

2020年3月　堀　雅敏

著者●────────────────

# 佐々木 仁 （ささき ひとし）

第 3 章 (4)・第 5 章 (1)(2)(3)(4)(8)(12) 執筆
神奈川県公立小学校教諭／科学教育研究協議会会員／自然科学教育研究所所員
東京小学校理科教育研究会

# 堀 雅敏 （ほり まさとし）

第 1・2・3 章 (1)(2)(3)(5)・第 4 章・第 5 章 (5)(6)(7)(9)(10)(11) 執筆
元・東京都公立小学校教諭／科学教育研究協議会会員／自然科学教育研究所所員
中央沿線理科サークル

参考文献●────────────────

『どう変わる どうする 小学校理科 新学習指導要領』
（小佐野 正樹・佐々木 仁・髙橋 洋・長江 真也 著／本の泉社）

『理科だいすき先生が書いた 教科書よりわかる理科 小学 3 年』
（江川 多喜雄 監修・小幡 勝 編著／合同出版）

『理科の本質がわかる授業 2 物質の学習 1』
（柴田 義松 監修・小佐野 正樹・鈴木 剛 編著／日本標準）

『理科の本質がわかる授業 3 物質の学習 2』
（柴田 義松 監修・小佐野 正樹・髙橋 洋 編著／日本標準）

『理科の本質がわかる授業 4 地学・低学年の理科』
（柴田 義松 監修・小佐野 正樹・堀 雅敏・高鷹 敦 編著／日本標準）

『小学校理科「身近な自然の観察」』
（江川 多喜雄 著／子どもの未来社）

『授業づくりシリーズ これが大切 小学校理科 3 年』
（編集担当：堀 雅敏／本の泉社）

月刊雑誌『理科教室』（科学教育研究協議会 編集／本の泉社）

※ QR コードの p.47「サクラ」、「カラスノ
エンドウ」、p.70「アブラナ」の静止画
は、江川 多喜雄著『写真でわかる　花
と実』（子どもの未来社刊）より転載。

※ QR コードの p.76「カマキリの捕食」の
動画は、鈴木 まき子氏撮影。

本質がわかる・やりたくなる　新・理科の授業　3年

2020 年 4 月 13 日　第 1 刷印刷
2020 年 4 月 13 日　第 1 刷発行

著　者●佐々木 仁・堀 雅敏
発行者●奥川　隆
発行所●子どもの未来社
〒 113-0033　東京都文京区本郷 3-26-1 本郷宮田ビル 4 F
　　　　　TEL：03-3830-0027　　FAX：03-3830-0028
　　　　　振替　00150-1-553485
　　　　　E-mail：co-mirai@f8.dion.ne.jp
　　　　　HP：http://comirai.shop12.makeshop.jp/

印刷・製本●株式会社 文昇堂

編集●髙原良治
本文イラスト●いなみさなえ
デザイン・DTP ●シマダチカコ
制作協力●(株)京北